RUSSIAN CONVERSATION
MADE NATURAL

Engaging Dialogues to Learn Russian

1st Edition

LANGUAGE GURU

ISBN: 978-1-950321-31-5

Other Books by Language Guru

English Short Stories for Beginners and Intermediate Learners
Spanish Short Stories for Beginners and Intermediate Learners
French Short Stories for Beginners and Intermediate Learners
Italian Short Stories for Beginners and Intermediate Learners
German Short Stories for Beginners and Intermediate Learners
Russian Short Stories for Beginners and Intermediate Learners
Portuguese Short Stories for Beginners and Intermediate Learners
Korean Short Stories for Beginners and Intermediate Learners

Fluent English through Short Stories
Fluent Spanish through Short Stories

English Conversation Made Natural
French Conversation Made Natural
Italian Conversation Made Natural
German Conversation Made Natural
Russian Conversation Made Natural
Portuguese Conversation Made Natural
Korean Conversation Made Natural

TABLE OF CONTENTS

———

INTRODUCTION

W all know that immersion is the tried and true way to learn a foreign language. After all, it's how we got so good at our first language. The problem is, it's extremely difficult to recreate the same circumstances when we are learning our second language. We come to rely so much on our native language for everything, and it's hard to make enough time to learn the second one.

We aren't surrounded by the foreign language in our home countries. More often than not, our families can't speak this new language we want to learn. Plus, many of us have stressful jobs or classes to attend. Immersion can seem like an impossibility.

What we can do, however, is to gradually work our way up to immersion, no matter where we are in the world. The way we can do this is through extensive reading and listening. If you have ever taken a foreign language class, chances are you are familiar with intensive reading and listening. In intensive reading and listening, a small amount of text or a short audio recording is broken down line by line, and every new word is looked up in the dictionary.

Extensive reading and listening, on the other hand, is quite the opposite. You read a large number of pages or listen to hours and hours of the foreign language without worrying about understanding everything. You look up as few words as possible and try to get through material from start to finish as quickly as you can. If you ask the most successful language learners, you'll find that the best results are delivered not by intensive reading and listening but, rather, by extensive reading and listening. Volume is exponentially more effective than total comprehension and memorization.

If you cannot understand native Russian speakers, it is precisely because of a lack of volume. You simply have not read or listened enough to be able to instantly understand people like you can in your native language. This is why it's so important to invest as much time as possible into immersing yourself in native Russian every single day.

To be able to read extensively, you must practice reading in the foreign language for hours every single day. It takes a massive volume of text before your brain stops intensively reading and shifts into extensive reading. Until that point, be prepared to look up quite a few words in the dictionary.

This book provides a few short Russian-language dialogues that you can use to practice extensive reading. These conversations were written and edited by native Russian speakers. They use 100 percent real Russian as used by native Russian speakers every single day.

We hope these dialogues help build confidence in your overall reading comprehension skills and encourage you to read more native material. We also hope that you enjoy the book and that it brings you a few steps closer to extensive reading and fluency!

HOW TO USE THIS BOOK

T better simulate extensive reading, we recommend keeping things simple and using the dialogues in the following manner:

1. Read each conversation just once and no more.

2. Whenever you encounter a word you don't know, first try to guess its meaning by using the surrounding context before going to the dictionary.

3. After completing the reading for each chapter, test your understanding of the dialogue by answering the comprehension questions. Check your answers using the answer key located at the end of the book.

We also recommend that you read each conversation silently. While reading aloud can be somewhat beneficial for pronunciation and intonation, it's a practice aligned more with intensive reading. It will further slow down your reading pace and make it considerably more difficult for you to get into extensive reading. If you want to work on pronunciation and intonation, a better option would be to speak to a tutor in the foreign language so that you can practice what you have learned.

Memorization of any kind is completely unnecessary. Attempting to forcibly push new information into your brain only serves to eat up your time and make it that much more frustrating when you can't recall the information in the future. The actual language acquisition process occurs subconsciously, and any effort to memorize new vocabulary and grammar structures will store this information only in your short-term memory.

If you wish to review new information that you have learned from the dialogues, several other options would be wiser. Spaced Repetition Systems (SRS) allow you to cut down on your review time by setting specific intervals in which you are tested on information to promote long-term memory storage. Anki and the Goldlist Method are two popular SRS choices that give you the ability to review whatever information you'd like from whatever material you'd like.

Trying to actively review everything you learned through these conversational dialogues will slow you down on your overall path to fluency. While there may be an assortment of things you want to practice and review, the best way to go about internalizing new vocabulary and grammar is to forget it! If it's that important, it will come up through more reading and listening to other sources of Russian. Languages are more effectively acquired when we allow ourselves to read and listen to them naturally.

With that, it is time to get started with our main character Leonid and his story told through 29 dialogues. Good luck, reader!

ГЛАВА 1:
СМЕНА СПЕЦИАЛЬНОСТИ

———————

(Леонид решил обратиться в службу педагогического сопровождения, чтобы сменить свою специальность.)

Леонид: Дело в том, что я просто не уверен, какую именно работу хочу выполнять.

Консультантка: Это нормально. Многие из нас меняют разные сферы жизни, пытаясь найти своё предназначение.

Леонид: Я уверен, что это точно не химия. Могу заявить об этом с полной уверенностью. В старших классах я отлично справлялся с этим предметом, но не думаю, что смогу заниматься этим всю оставшуюся жизнь.

Консультантка: Мне бы очень хотелось дать Вам точный ответ на вопрос о Вашем предназначении и призвании. Если бы у меня были такие способности, то вся эта история с «выбором специальности и карьеры» стала бы гораздо проще, не так ли?

Леонид: Мне кажется, что Вам действительно нужен хрустальный шар на рабочем столе.

Консультантка: Вы думаете, что я не думала об этом? С таким же успехом я могла бы прийти на работу в мантии и шляпе волшебницы.

Леонид: Безусловно. Мне кажется, что сейчас мне нужно сменить свою специальность на «нерешительность» и хорошенько разобраться в себе.

Консультантка: Всё в порядке. Именно для этого и существует университет.

Вопросы для самопроверки

1. Какой была первоначальная специальность Леонида до того, как он решил сменить будущую профессию?

    A. История

    B. Химия

    C. Консультирование

    D. Волшебник

2. На какую специальность Леонид решил перейти?

    A. Химия

    B. Консультирование

    C. История

    D. Нерешительность

3. Если человек говорит, что ему нужно «разобраться в себе», что это означает?

    A. Человек потерял свою душу и хочет найти её.

    B. Человек хочет найти любовь всей своей жизни.

    C. Человек тратит время на обдумывание своих эмоций и мотивов.

    D. Человек решает разобраться с привидениями.

English Translation

(Leonid has decided to apply to the academic support service to change his major.)

Leonid: The thing is that I'm just not sure what kind of work I want to do.

Counselor: This is normal. A lot of us drift around in life trying to figure out where we belong.

Leonid: I'm sure it's definitely not chemistry. I can tell you that. I was really good at it in high school, but I just don't think I can do it for the rest of my life.

Counselor: I wish I could tell you what your true passion is. If I could, this whole "career choice" thing would be much more straightforward now, wouldn't it?

Leonid: It seems to me that you really need a crystal ball on your desk.

Counselor: I know, right? I might as well come to work dressed in a wizard's robe and hat, too.

Leonid: Definitely. For now, I think I'll switch my major to "undecided" and do a little soul searching.

Counselor: That's OK. That's exactly what university is for.

ГЛАВА **2**:
ПОСИДЕЛКИ С ИГРАМИ

(Леонид идёт к своему лучшему другу Максиму, чтобы потусоваться и поиграть в видеоигры.)

Максим: Бах! Я снова умер. Этот уровень слишком сложный для меня.

Леонид: Смотри. Мы не используем навыки командной работы. Мы никогда не победим этого босса, действуя по отдельности.

Максим: Наши персонажи словно масло и вода. Их невозможно смешать вместе.

Леонид: А что, если я отвлеку его, пока ты будешь наносить как можно больше урона? Когда он начнёт целиться в тебя, мы поменяемся местами.

Максим: Ты говоришь об игре в кошки-мышки?

Леонид: Да, но в этом случае в игре будет две мыши. И у мышей есть оружие.

Максим: Давай попробуем.

(Оба продолжают играть.)

Максим: Ничего себе, мы сделали это.
Леонид: Ура!

Максим: Я не могу поверить, что это действительно сработало. Это было здорово! Слушай, мы должны пойти и перекусить, чтобы отпраздновать это событие.
Леонид: Хорошо. Давай.

Вопросы для самопроверки

1. Какие два вещества плохо смешиваются между собой?
    A. Масло и вода
    B. Соль и вода
    C. Сахар и вода
    D. Огонь и вода

2. Как парни смогли победить босса в игре?
    A. Они пошли за закусками, чтобы отпраздновать это событие.
    B. Они работали вместе как одна команда.
    C. Они действовали по отдельности.
    D. Они покупают лучшее оружие.

3. Как Леонид и Максим решили отпраздновать свою победу?
    A. Они стукнулись кулаками.
    B. Они включили музыку.
    C. Они уходят и покупают закуски.
    D. Они не празднуют свою победу.

English Translation

(Leonid goes over to his best friend Maxim's house to hang out and play video games.)

Maxim: Bah! I died again. This level is way too hard for me.
Leonid: Look. We don't have any teamwork. We're never gonna beat this boss by acting separately.
Maxim: Our characters are like oil and water. They don't mix together.
Leonid: What if I distract him while you deal as much damage as possible? When he starts targeting you, we will change places.
Maxim: So, like a game of cat and mouse?
Leonid: Yeah, but in this case, there are two mice. And the mice have weapons.
Maxim: Let's try it.

(The two resume playing.)

Maxim: Hey, we did it.
Leonid: Yay!
Maxim: I can't believe that actually worked. That was great! Yo, we should go out and get a snack to celebrate.
Leonid: Alright. Let's go.

ГЛАВА **3**:
МАГАЗИН У ДОМА

(Двое друзей находятся в магазине товаров первой необходимости и изучают товары на полках.)

Леонид: Итак, что ты будешь есть?

Максим: Давай возьмём бутерброды.

(Парни приносят свои покупки к кассе. Заплатив за еду, они идут на улицу, чтобы пообедать в машине Леонида.)

Максим: Ничего себе, это действительно круто. Мне кажется, или я чувствую авокадо?

Леонид: Мне кажется, что это авокадо и красный перец.

Максим: Итак, что происходит в твоей жизни в последнее время? Ты сказал, что хочешь сменить специальность.

Леонид: Да. Я понятия не имею, что хочу делать.

Максим: У меня то же самое. Я даже думать об этом не хочу.

Леонид: Но ведь рано или поздно придётся, не так ли?

Максим: Нет.

Леонид: А когда тебе исполнится 30 лет?

Максим: Тогда тоже нет.

Леонид: 80?

Максим: Я буду геймером до самой смерти. Когда я умру, ты вырвешь геймпад из моих холодных и мёртвых рук.

Вопросы для самопроверки

1. Где посетители обычно платят за покупки в магазине у дома?
   - A. У входа
   - B. В офисе
   - C. В кладовке
   - D. На кассе

2. Какой товар вы ВРЯД ЛИ найдёте в магазине у дома?
   - A. Бутерброды
   - B. Закуски
   - C. Напитки
   - D. геймпад

3. Где парни съели свои бутерброды?
   - A. В магазине
   - B. В машине Максима
   - C. В машине Леонида
   - D. В бутербродах

English Translation

(The two are inside their local convenience store browsing the store's shelves.)

Leonid: So, what are you going to eat?

Maxim: Let's get sandwiches.

(The boys bring their purchases to the check-out counter. After paying for their food, they go out to eat in Leonid's car.)

Maxim: Wow, this is really good. Am I imagining things, or am I smelling avocado?

Leonid: I think it's avocado and red pepper.

Maxim: So, what's going on with you lately? You said that you wanted to change your major.

Leonid: Yeah. I have no idea what I want to do.

Maxim: Same. I don't even want to think about it.

Leonid: But you have to sooner or later, right?

Maxim: Nope.

Leonid: How about when you turn 30?

Maxim: Not then either.

Leonid: 80?

Maxim: I will be a gamer to the day I die. You'll be prying the controller out of my cold, dead hands when I'm gone.

ГЛАВА **4**:
В РАБОЧЕЕ ВРЕМЯ

———

(В свободное время Леонид работает в местном магазине доставки пиццы водителем. Леонид и генеральный директор пиццерии болтают внутри магазина, складывая коробки с пиццей.)

Анника: Итак, я его уволила. Я понимаю, что может произойти что угодно, и человек может иногда опоздать. Но не позвонить и не явиться на работу — это просто недопустимо.

Леонид: Понятно. Он был дружелюбным и весёлым, но не позвонить и не явиться на работу —это действительно плохо.

Анника: Такое случается время от времени. Здесь работает очень много студентов, но некоторые из них хотят веселиться всю ночь напролёт. В результате они слишком устают или приходят на работу с похмелья. Мне будет достаточно, если они хотя бы позвонят мне накануне.

Леонид: Ничего себе! Мне кажется, что ты — самая снисходительная начальница, которая у меня когда-либо была.

Анника: О, нет. Я бы всё равно уволила каждого из них, если бы знала, что они позвонили именно по этой причине. Нам нужна надёжная команда, чтобы это место работало без сбоев.

Леонид: Постоянно напоминай мне, что мне не стоит становиться твоим врагом.

Анника: Честно говоря, ты был бы одним из первых, кого я бы повысила.

Леонид: Неужели?

Анника: Второй менеджер был бы очень кстати. Я здесь каждый день, и это вредно для моего психического здоровья. Мне нужно отдохнуть.

Леонид: Ничего себе. Я даже не знаю, что сказать.

Анника: Тебе и не нужно. Следующий заказ уже готов. Давай, доставь его.

Вопросы для самопроверки

1. Что значит «не позвонить и не явиться»?
    A. Увольнение сотрудника
    B. Отсутствие сотрудника на работе без уведомления работодателя
    C. Неписаное правило на рабочем месте
    D. Правило, запрещающее использование смартфонов на рабочем месте

2. Что является антонимом слова «снисходительность»?
    A. Строгость
    B. Прямолинейность
    C. Ум
    D. Превосходство

3. Почему Анника хочет нанять второго менеджера?
    A. Она хочет иметь возможность конкурировать с другими пиццериями в этом районе
    B. Она хочет, чтобы её повысили
    C. Она хочет уволиться
    D. Она хочет взять отгул на работе, чтобы наладить своё психическое здоровье

English Translation

(In his spare time, Leonid works as a driver at a local pizza delivery shop. Inside the store, Leonid and the pizza store's general manager are chatting while folding pizza boxes.)

Annika: So, I fired him. I understand that anything can happen, and some days you are going to be late. But a no-call, no-show is simply unacceptable.

Leonid: I see. He was friendly and fun to be around, but a no-call, no-show is pretty bad.

Annika: It happens from time to time. So many college kids work here, and some of them want to party all night. As a result, they get too tired or come to work with a hangover. It would be enough for me if they just called in the day before.

Leonid: Wow, I think you're the most lenient boss I've ever had.

Annika: Oh no. I would still fire them if I knew that was the reason they called in. We need a reliable team to keep this place running smoothly.

Leonid: Remind me to never get on your bad side.

Annika: To be honest, you'd be one of the first ones I would promote.

Leonid: Really?

Annika: A second manager would be very helpful. I'm here every day, and it's not good for my mental health. I need the time off.

Leonid: Wow. I don't even know what to say.

Annika: You don't have to. The next order is ready. Go deliver it.

ГЛАВА **5**:
БЕСЕДА С ОДНОГРУППНИКАМИ

(Леонид находится на лекции по экономике в университете.)

Преподаватель: На сегодня всё. Не забудьте подготовиться к предстоящей контрольной. На каждый час, проведённый здесь, вы должны потратить не менее двух часов, чтобы повторить изученные материалы.

(Студенты начинают собирать свои вещи и покидают лекционный зал. Студент слева от Леонида начинает разговор.)

Одногруппник: Два часа? Это уж слишком! У всех нас есть своя жизнь, разве он не понимает?

Леонид: Да, это много.

Одногруппник: Я понимаю, что мы должны учиться, чтобы получить хорошую оценку и прочее в этом роде, но послушай...

Леонид: Стоит отметить, что это экономика, которая не является профильной у подавляющего большинства студентов. Какая у тебя специализация?

Одногруппник: Машиностроение. А у тебя?

Леонид: Химия, но я хочу перевестись на другую специальность —ещё не определился, какую.

Одногруппник: Понятно. Согласен, каждый день в кампусе происходит много событий. Ты слышал о предстоящем 48-часовом кинофестивале, который пройдёт в эти выходные?

Леонид: Ты говоришь о фестивале, в котором у каждой команды есть 48 часов, чтобы снять фильм, не так ли? Я слышал об этом. Ты пойдёшь?

Одноклассник: Конечно. Я хочу пойти с друзьями и посмотреть, что будет дальше. А что насчёт тебя?

Леонид: Нет, я вообще не знаю, с какой стороны подойти к миру кино. Я даже не уверен, что продержусь 48 секунд, прежде чем что-то испорчу. Но я подумываю о том, чтобы пойти на кулинарные курсы.

Вопросы для самопроверки

1. По словам преподавателя, если вы провели 10 часов в классе, то сколько часов вы должны потратить на повторение материалов для контрольной?
    A. 10 часов
    B. 15 часов
    C. 20 часов
    D. 25 часов

2. Что из этого не является специализацией во время обучения в университете?
    A. Дизайн
    B. Экономика
    C. Машиностроение
    D. Исследования

3. В чём заключается суть 48-часового кинофестиваля?
    A. Люди собираются в большом кинотеатре, чтобы смотреть фильмы в течение 48 часов подряд.
    B. Люди собираются, чтобы посмотреть премьеру нового фильма, который длится 48 часов.
    C. Задача команд заключается в том, чтобы создать лучший фильм менее чем за 48 часов.
    D. Команды участвуют в 48-часовом ультра-марафоне и снимают его на плёнку.

English Translation

(Leonid is at school attending an economics lecture.)

Professor: That will be it for today. Don't forget to study for the upcoming test. For every hour you spend here, you should spend at least two hours reviewing.

(The students start packing up their belongings and leaving the lecture hall. A student to the left of Leonid starts up a conversation.)

Classmate: Two hours? That's way too much! We all have lives, you know?

Leonid: Yeah, it's a lot.

Classmate: I get that we have to study to get a good grade and all, but dude.

Leonid: And it's an economics class, which most people here are not majoring in. What major are you?

Classmate: Mechanical engineering. You?

Leonid: Chemistry, but I want to transfer to another major —I haven't decided which one yet.

Classmate: I see. Yeah, there's so much going on campus every single day. Did you hear about the 48-hour film festival coming up this weekend?

Leonid: That's the one where each team has 48 hours to make a movie, right? I did hear about that. Are you going?

Classmate: Sure am. Gonna enter with some friends and see what happens. How about you?

Leonid: Nah, I can't do anything film-related at all. I'm not even sure I would last 48 seconds before screwing something up. But I am thinking of taking a cooking class.

ГЛАВА **6**:
СЕКРЕТНЫЙ ИНГРЕДИЕНТ

(Леонид отправился на вечерние кулинарные курсы, которые проходят в студенческом центре на территории кампуса.)

Преподаватель: Лук — самая важная часть этого рецепта. Блюдо нужно заправить должным образом, иначе карри не будет иметь такого яркого вкуса.

Студент №1: Получается, что мы добавляем соль, перец, чеснок и имбирь при приготовлении лука?

Преподаватель: Да, а теперь секретный ингредиент.

Студент №2: Что за секретный ингредиент?

Преподаватель: Это больше не будет секретом, если я расскажу вам о нём.

Леонид: Но как же мы будем готовить это блюдо дома?

Преподаватель: Тот, кто угадает секретный ингредиент, получит приз!

Студент №1: Хорошо. Это кокос?

Преподаватель: Нет.

Студент №2: Как насчёт оливкового масла?

Преподаватель: Попробуйте ещё раз.

Леонид: Это любовь?

Преподаватель: Этот секретный ингредиент подходит к любому блюду, поэтому нет.

Студент №1: Мороженое?

(Преподаватель смотрит на ученика №1 с осуждением.)

Леонид: Я думаю, он хочет сказать, что мы все сдаёмся.
Преподаватель: Ну что же, очень хорошо. Правильный ответ —базилик. Получается, что поскольку никто не угадал, я смогу оставить ценный подарок себе, чтобы насладиться им в одиночестве.

Вопросы для самопроверки

1. Чем преподаватель приправляет лук?
   A. Соль, перец, чеснок и имбирь
   B. Соль, перец и оливковое масло
   C. Соль, перец и кокосовое масло
   D. Мороженое

2. Где проходит кулинарный класс?
   A. Внутри студенческого центра за пределами кампуса
   B. Внутри лекционного зала
   C. За пределами студенческого центра за пределами кампуса
   D. Внутри студенческого центра на территории кампуса

3. Какой приз был положен тому, кто угадает секретный ингредиент?
   A. Базилик
   B. Денежные средства
   C. Мороженое
   D. Неизвестно

English Translation

(Leonid attends an evening cooking class located inside the student center on campus.)

Instructor: The onions are the most important part of this recipe. They have to be seasoned properly, or the curry will not have as much flavor.

Student #1: So, you add salt, pepper, garlic, and ginger when cooking the onions?

Instructor: Yes, and now comes the secret ingredient.

Student #2: What's the secret ingredient?

Instructor: It wouldn't be a secret anymore if I told you.

Leonid: But how are we supposed to make this dish at home?

Instructor: The person who guesses the secret ingredient gets a prize!

Student #1: OK. Is it coconut?

Instructor: No.

Student #2: How about olive oil?

Instructor: Try again.

Leonid: Is it love?

Instructor: That secret ingredient is suitable for any dish, so nope.

Student #1: Ice cream?

(The instructor coldly stares at Student #1.)

Leonid: I think he means to say that we all give up.

Instructor: Very well then. The correct answer is basil. And since no one guessed right, it looks like I will be keeping the prize to enjoy all by myself.

ГЛАВА **7**:
СВИДАНИЕ С НЕЗНАКОМКОЙ

(Леонид познакомился с девушкой в интернете, используя приложение для знакомств. Поболтав несколько дней, они договариваются встретиться и пойти на свидание в местное кафе.)

Леонид: Привет, ты Катина?

Катина: Да. Привет.

Леонид: Я Леонид. Приятно познакомиться.

Катина: Я тоже рада познакомиться.

Леонид: В жизни ты выглядишь намного симпатичнее.

Катина: Ой, спасибо. И ты тоже.

Леонид: Ты часто бываешь в этой кофейне?

Катина: Да, иногда.

Леонид: Когда?

Катина: После университета.

Леонид: Круто. Какая у тебя специальность?

Катина: Информатика.

Леонид: Как ты справляешься с ней?

Катина: Мне кажется, что это даже забавно.

Леонид: Почему ты выбрала именно это?

Катина: Эм... В этой области хорошо платят.

Леонид: Неужели?

Катина: Да.

Леонид: Мне кажется, что ты должна любить работу, которая приносит тебе хорошие деньги.

Катина: М-м-м-м.

(Они вдвоём сидят в неловком молчании примерно 10 секунд.)

Катина: Ой. Я только что получила сообщение от друга. Мне кажется, что я должна встретиться с ним.

Леонид: Ну, хорошо. Что же, приятно было познакомиться.

(Катина собирает свои вещи и выходит из кафе. Леонид тут же достаёт свой смартфон и начинает размышлять, что же пошло не так.)

Вопросы для самопроверки

1. Где Леонид впервые встретил Катину?

    A. На кулинарном мастер-классе

    B. Во время одного из занятий

    C. Они работают в одной пиццерии

    D. Через приложение для онлайн-знакомств

2. Как бы вы описали общую атмосферу беседы в этой главе?

    A. Неловкая

    B. Серьёзная

    C. Высокомерная

    D. Интимная

3. Когда состоится второе свидание Леонида с Катиной?

    A. Когда Леонид получит свою следующую зарплату

    B. Когда-нибудь в выходные дни

    C. Когда закончится семестр

    D. Второго свидания, скорее всего, не будет

English Translation

(Leonid has met a girl online through a dating app. After chatting for a few days, they agree to meet in person for a date at a local coffee shop.)

Leonid: Hi, are you Katina?
Katina: Yes. Hi.
Leonid: I'm Leonid. Nice to meet you.
Katina: Nice to meet you, too.
Leonid: You look a lot cuter in person.
Katina: Oh, thanks. You, too.
Leonid: Do you come to this coffee shop a lot?
Katina: Yeah, sometimes.
Leonid: When?
Katina: After school.
Leonid: Oh, that's cool. What is your major?
Katina: Computer science.
Leonid: How's that working out for you?
Katina: It's kind of fun, I guess.
Leonid: What got you into that?
Katina: Um... it pays pretty well.
Leonid: Oh really?
Katina: Yup.
Leonid: You got gotta love jobs that pay you good money.
Katina: Mmmhmm.

(The two sit in awkward silence for roughly 10 seconds.)

Katina: Oh. I just got a text from a friend. I think I should go meet them.
Leonid: Oh, OK. Well, it was nice meeting you.

(Katina picks up her belongings and leaves the coffee shop. Leonid immediately takes out his smartphone and starts to ponder what went wrong.)

ГЛАВА **8**:
В СПОРТЗАЛЕ

(Леонид решил начать заниматься в спортзале университета на территории кампуса. Он как раз собирается приступить к работе со свободными весами, но решает обратиться за помощью.)

Леонид: Извините. Простите, что беспокою Вас.

Незнакомец: Нет проблем. Чем я могу Вам помочь?

Леонид: Я только сегодня начал силовые тренировки, и мне было бы очень интересно узнать, как Вы стали таким подтянутым и добились такого рельефа? Это действительно впечатляет.

Незнакомец: Ой, спасибо. Всё это требует тяжёлой работы и большого количества времени, как и всё остальное.

Леонид: Допустим, у Вас есть восемь недель, чтобы прийти в форму, начиная с нуля. Что бы Вы сделали?

Незнакомец: Вы сможете получить лишь сильно ограниченные результаты, если будете тренироваться всего восемь недель. Фитнес-индустрия заставит Вас поверить, что Вы сможете получить телосложение профессионального атлета за восемь недель, если Вы просто купите то, что они продают.

Леонид: Я даже не знаю. Я видел много удивительных фотографий, сравнивающих результаты до и после.

Незнакомец: Это ещё один фокус. У этих актёров уже было много мышц перед тем, как они сели на диету, чтобы убрать весь жир.

Леонид: Тогда ладно. Какую программу на восемь недель Вы бы порекомендовали новичку?

Незнакомец: Вот что я Вам скажу. Если Вы начнёте с базовых упражнений и будете делать глубокие приседания, становую тягу и жим лёжа, Вы ощутите реальное увеличение силы и размера Ваших мышц.

Леонид: Хорошо. Не могли бы Вы показать мне, какие тренажёры нужно использовать?

Незнакомец: Это упражнения со штангой. Вы сможете повысить эффективность в три раза, если будете тренироваться со штангой.

Леонид: Я даже не знаю. Это кажется довольно трудным занятием.

Незнакомец: Так и должно быть. Именно так Вы станете большим и сильным.

Леонид: Я буду иметь это в виду. А как бы Вы поступили в процессе выбора диеты?

Незнакомец: Вам нужно использовать небольшой излишек калорий, употребляя на 200-300 калорий больше, чем обычно. Это должна быть не вредная, а питательная пища с высоким содержанием белка.

Леонид: Вы хотите сказать, что я должен считать калории?

Незнакомец: Это необязательно. Начните с того, что просто исключите всю нездоровую пищу из своего рациона и замените её большим количеством здоровой пищи.

Леонид: Хорошо, я понял. Я очень ценю Вашу помощь. Я посмотрю, что я смогу использовать для себя.

(Ошеломлённый информацией, полученной от незнакомца, Леонид решает для начала пробежаться на беговой дорожке.)

Вопросы для самопроверки

1. Какое из следующих определений наиболее точно описывает телосложение незнакомца?
    A. Массивный и громоздкий
    B. Стройный и мускулистый
    C. Субтильный и тощий
    D. Плотный и дряблый

2. Что значит «привести себя в форму»?
    A. Использовать физические упражнения для повышения своей выносливости
    B. Согнуть что-то, чтобы придать определённую форму и совместить это с другим предметом
    C. Стать оборотнем
    D. Согнуть своё тело для выполнения определённых упражнений

3. Что из этого незнакомец рекомендовал НЕ делать Леониду?
    A. Употреблять питательные продукты и питаться с избытком калорий
    B. Употреблять нездоровую пищу и питаться с дефицитом калорий
    C. Убрать все ненужные продукты из рациона
    D. Делать упражнения со штангой

English Translation

(Leonid has decided to start working out at the university gym on campus. He is just about to start lifting weights when he decides to ask for help.)

Leonid: Excuse me. Sorry to bother you.

Stranger: No problem. What can I do for you?

Leonid: I just started weight training today, and I was wondering, how did you get so lean and shredded? It's really impressive.

Stranger: Oh, thanks. It takes hard work and time just like anything else.

Leonid: Let's say you had eight weeks to get into shape starting from scratch. What would you do?

Stranger: You're going to get pretty limited results if you work out for only eight weeks. The fitness industry would have you believe that you can get a professional model's physique in eight weeks if you just buy what they are selling.

Leonid: I don't know. I've seen a lot of amazing before-and-after photos.

Stranger: That's another trick. Those actors already had a lot of muscle on them before they went on a diet to cut all the fat.

Leonid: Alright then. What kind of eight week program would you recommend for a beginner?

Stranger: I'll tell you what. If you start with the basics and do heavy squats, deadlifts, and bench presses, you'll see some very real strength and size gains.

Leonid: OK. Can you show me which machines I should use for those?

Stranger: These are barbell exercises. You'll get triple the gains if you train with the barbell.

Leonid: I don't know. That seems pretty hard.

Stranger: It's supposed to be. That's exactly how you get big and strong.

Leonid: I'll keep that in mind. What would you do diet-wise?

Stranger: You're going to want to eat a small calorie surplus that's about 200-300 calories above what you normally eat. And not junk food but nutritious food that's also high in protein.

Leonid: Do you mean I have to count calories?

Stranger: You don't have to necessarily. Start by cutting all junk food from your diet and replacing it with lots of healthy foods.

Leonid: OK, I see. I really appreciate the help. I'll see what I can do.

(Overwhelmed by the information given to him by the stranger, Leonid decides to go for a run on the treadmill instead.)

ГЛАВА **9**:
АКТУАЛЬНЫЙ ТРЕНД

(Леонид идёт к дому Максима, чтобы остаться у него с ночёвкой.)

Максим: Как прошло свидание с той девушкой на этой неделе?

Леонид: Ужасно. Оно продолжалось не более трёх минут.

Максим: Ой. Может быть, это было одно из тех свиданий, когда вам сразу стало неловко?

Леонид: Так и есть. Я думаю, это из-за того, как я выгляжу, но никогда не знаешь наверняка, верно?

Максим: По крайней мере, ты не сидишь взаперти и пытаешься общаться. Ты обязательно найдёшь кого-нибудь, если будешь продолжать свои попытки.

Леонид: А что у тебя? Я знаю, что у тебя мало денег, но...

Максим: Ты сам только что ответил на свой вопрос.

Леонид: Как продвигается поиск работы?

Максим: Хорошо. Ты слышал сегодняшнее объявление?

Леонид: Нет. О чём в нём говорилось?

Максим: Сегодня анонсировали выпуск новой ролевой игры. Она выглядит совершенно безумно. Кроме того, они наняли несколько знаменитостей высшего класса, чтобы сделать озвучку. Вокруг этой игры столько шума. Я заказал её сразу же после окончания пресс-конференции.

Леонид: В интернете постоянно происходит масса интересных событий. Я всё ещё не играл в самую популярную игру, которая вышла в этом году. Всегда выходит так, что как только я заканчиваю одну игру, появляются ещё 10 наименований, в которые мне предлагают сыграть. Я просто не могу за ними угнаться.

Максим: А я могу.

Леонид: Как?

Максим: Легко. У меня нет жизни. Сделай как я, и у тебя сразу же будет море свободного времени. Твоя проблема решена.

Вопросы для самопроверки

1. Что значат слова Максима о том, чтобы «сидеть взаперти»?
    A. Выходить на улицу
    B. Избегать опасности
    C. Сидеть дома весь день
    D. Ставить себя в опасное положение

2. Что такое знаменитость высшего класса?
    A. Знаменитость, которая находится на вершине своей карьеры
    B. Знаменитость, которая появляется в списке
    C. Знаменитость, получавшая высокие оценки в школе
    D. Праздник, посвящённый знаменитостям

3. Что значит «не иметь жизни»?
    A. Быть мёртвым
    B. Находиться без сознания
    C. Использовать все жизни игрока в видеоигре
    D. Тртить всё своё время на то, чтобы не делать ничего существенного или значимого

English Translation

(Leonid goes over to Maxim's house to hang out for the night.)

Maxim: So, how did that date go this week with that girl?

Leonid: Terrible. It didn't last longer than three minutes.

Maxim: Ouch. Was it one of those dates where it was immediately awkward?

Leonid: Pretty much. I'm thinking it's because of the way I look, but you never know, right?

Maxim: At least you're putting yourself out there. You're bound to find someone if you keep trying.

Leonid: What about you? I know you're low on money but...

Maxim: You just answered your own question.

Leonid: How's the job hunt coming along?

Maxim: Good. Hey, did you hear about the announcement today?

Leonid: No. What was it?

Maxim: They announced the new RPG today. It looks absolutely insane. They even hired a few A-list celebrities to do the voice acting. The hype surrounding this game is unreal. I ordered it immediately after the press event ended.

Leonid: There are a lot of interesting things happening on the Internet all the time. I still haven't played the big game that came out this year. It's like, as soon I finish one game, 10 more pop up that people are telling me to play. I just can't keep up.

Maxim: But I can.

Leonid: How?

Maxim: It's Easy. I have no life. Do as I do, and you will immediately have a lot of free time. Your problem is solved.

ГЛАВА 10:
ЖЕРТВА

(Леонид на работе и болтает с Анникой, складывая коробки из-под пиццы.)

Анника: У нас сегодня много заказов на доставку. Это будет очень напряженная ночь. Мне нравится, когда много работы. В такие дни время летит незаметно, а мы доберёмся домой раньше, чем ты успеешь оглянуться.

Леонид: Я слышал, что у тебя есть сын? Сколько ему лет?

Анника: На днях ему исполнилось 15 лет.

Леонид: Значит, он остаётся дома с отцом, пока ты работаешь здесь в вечернее время?

Анника: Милый, у него есть отец, но нет отца.

Леонид: Получается, что ты растишь его сама?

Анника: Так и есть. Конечно, мой сын так не считает. Мне приходилось ходить на работу почти каждый день, чтобы оплатить наши счета, так что мы не могли проводить слишком много времени вместе. Моя мама, то есть его бабушка, присматривала за ним, пока я работала.

Леонид: Но теперь он достаточно взрослый, чтобы сидеть дома один, верно?

Анника: Да. Это полезно для моей мамы, которая нуждалась в отдыхе, но теперь ему не с кем общаться, понимаешь?

Леонид: Да, это серьёзно.

Анника: Мы активно конкурируем с двумя пиццериями, поэтому я должна сделать всё, чтобы сохранить прибыльность этого места. Если я беру хотя бы один выходной, то мне звонит владелец. А он звонит только по печальным поводам.

Леонид: Ух ты, тебе приходится решать много проблем одновременно. Если тебе от этого станет легче, однажды он оглянется назад и поймёт, что мама многим пожертвовала ради него.

Анника: Может быть, это случится сегодня? Ну, пожалуйста!

Вопросы для самопроверки

1. Почему Аннике нравятся загруженные вечера на работе?
    A. В такие вечера она зарабатывает больше всего денег
    B. Время летит незаметно, поэтому все окажутся дома раньше
    C. Владелец приходит в гости
    D. После работы будет праздничная вечеринка

2. Кто воспитывал сына Анники?
    A. Анника и её муж, который всё время работал
    B. Анника, которая всё время работала, и мать Анники, которая присматривала за ним
    C. Приёмные родители, которые присматривали за ним
    D. Сиротский приют

3. Что будет, если Анника возьмёт выходной?
    A. Пиццерия загорится
    B. Сотрудники будут протестовать
    C. Владелец будет ей звонить и ругать её
    D. Клиенты не будут заказывать еду

English Translation

(Leonid is at work chatting with Annika while folding pizza boxes.)

Annika: We have a lot of deliveries coming up tonight. It's going to be a busy night. I like it when it's busy. It means that time flies, and we get home before you know it.

Leonid: I heard you have a son. How old is he?

Annika: He just turned 15 the other day.

Leonid: So, he stays home with his dad while you're here in the evening?

Annika: Honey, he has a father but not a dad.

Leonid: So, you raised him all by yourself?

Annika: I did. Of course, my son doesn't see it that way. I had to go to work almost every day to pay our bills, so we didn't get to spend too much time together. My mom, his grandmother, looked after him while I worked.

Leonid: But now he is old enough to stay home alone, right?

Annika: Yes. It's good for my mom, who needed the break, but now he's lonely, you know?

Leonid: That's rough.

Annika: We compete with two other pizza delivery places, and it takes everything I have just to keep this place in business. If I take even a day off, I get a call from the owner, and he never calls unless it's something bad.

Leonid: Wow, that's a lot to deal with. If it makes you feel any better, one day he will look back and realize how much his mom sacrificed for him.

Annika: Can that day be today, please?

ГЛАВА 11:
ОБЩЕНИЕ С КЛИЕНТАМИ

(Леонид уехал на доставку. Он приходит в квартиру клиента и звонит в дверь с заказом в руках. Дверь открывает мужчина средних лет.)

Леонид: Здравствуйте. У меня есть пицца с ананасами для клиента из квартиры 312.

Клиент: Это я. Вот деньги за заказ. Сдачу можете оставить себе.

Леонид: Спасибо.

Клиент: Вы выглядите так, словно учитесь в университете. Не так ли?

Леонид: Да.

Клиент: Четыре лучших года моей жизни прошли именно там. Живите, пока у Вас есть время. Эти золотые годы уйдут прежде, чем Вы поймёте и заметите это.

Леонид: Я постараюсь.

Клиент: Что Вы изучаете?

Леонид: Поначалу я занимался химией, но теперь не уверен, что хочу этим заниматься.

Клиент: Не стоит из-за этого переживать. У Вас есть вся жизнь, чтобы понять своё призвание. Вы молоды. Просто наслаждайтесь жизнью в университете. Вечеринки, выпивка, новые друзья и женщины!

Леонид: Обязательно! Да, кстати, если Вы не возражаете, то я хотел бы знать, что Вы изучали?

Клиент: Историю. Тем не менее, в конце концов, это не принесло мне никакой пользы. Я не смог найти работу после окончания университета, так что теперь я тоже водитель в сфере доставки.

Вопросы для самопроверки

1. Как клиент оплатил пиццу?
    A. Кредитной картой
    B. Чеком
    C. Наличными
    D. Денежным переводом

2. Что посоветовал Леониду клиент?
    A. Не думать о специальности, а потратить время на вечеринки
    B. Быстро найти пару для долгосрочных отношений, остепениться и жениться
    C. Сосредоточить всё своё внимание и время на учёбе
    D. Постараться накопить как можно больше денег, чтобы он мог начать планировать собственное будущее

3. В чём заключалась проблема клиента, который изучал историю?
    A. Ему было очень скучно
    B. Он обнаружил, что за работу, связанную с историей, платят не так много денег, как он хотел
    C. Он не смог найти работу после окончания университета
    D. Он бросил

English Translation

(Leonid is out on a delivery. He arrives at the customer's apartment and rings the doorbell with the order in hand. A middle-aged man opens the door.)

Leonid: Hi there. I have a pineapple pizza for apartment 312.

Customer: That's me. Here's the money for the order. You can keep the change.

Leonid: Thank you.

Customer: You look like you're a student in college. Am I right?

Leonid: Yes.

Customer: Best four years of my life right there. Live it up while you can because those golden years will be gone before you know it.

Leonid: I will try.

Customer: What are you studying?

Leonid: I did chemistry at first, but now I'm not sure what I want to do.

Customer: Don't worry about that. You have your whole life to figure that out. You're young. Just enjoy the college life. Parties, drinking, new friends, and the women!

Leonid: I will! Oh, by the way, if you don't mind me asking, what did you study?

Customer: History. Although it did me no good in the end. I couldn't find a job after graduation, so now I'm a delivery driver too, actually.

ГЛАВА 12:
ПОЛУЧЕНИЕ КНИГ

(Леонид оказался в университетской библиотеке, чтобы найти вдохновляющую книгу. Он находит книгу, которую хотел бы прочесть, и идёт, чтобы оформить её.)

Леонид: Здравствуйте, я хотел бы получить эту книгу.
Библиотекарь: Хорошо. У Вас есть студенческий билет?
Леонид: Да. Вот, держите.
Библиотекарь: Прекрасно. Позвольте мне записать эту книгу на Ваше имя.

(Проходит несколько секунд молчания.)

Леонид: Вы когда-нибудь читали что-нибудь у этого автора?
Библиотекарь: Не думаю, что читал. Что это за автор?
Леонид: Я слышал, что он пишет о жизни людей, которые сделали что-то значимое в истории. Очень многие рекомендовали мне его книги из-за мудрости и практических советов, которые они содержат.
Библиотекарь: Ой, это действительно звучит заманчиво. Я предпочитаю фантастику. Я думаю, что во всех великих историях есть какая-то глубинная мудрость. Но в художественной литературе мне нравится то, что читатель должен найти и интерпретировать такой жизненный урок для себя.

Леонид: Из-за школы чтение романов всегда ассоциировалось у меня со скукой.

Библиотекарь: Так вот почему Вы читаете исключительно документальную прозу?

Леонид: Я вообще мало читаю. Это первая книга, которую я взял после школы.

Вопросы для самопроверки

1. Что нужно для того, чтобы получить книгу из
   университетской библиотеки?
   A. Студенческий билет
   B. Деньги
   C. Водительские права
   D. Государственное удостоверение личности

2. О чём пишет автор книги, которая так заинтересовала
   Леонида?
   A. О жизни библиотекарей
   B. О жизни людей, вошедших в историю
   C. Об истории практической мудрости
   D. Об истории народов и мира

3. Почему библиотекарь предпочитает фантастику?
   A. Это более увлекательно, чем научно-популярная
      литература
   B. Только читатель может найти мудрость и извлечь
      жизненные уроки, содержащиеся в этой истории
   C. В таких книгах существует мир фэнтези, научная
      фантастика и любовные романы
   D. Потому что нужно читать художественную литературу,
      а не документальную

English Translation

(Leonid went to the library on campus, looking for an inspiring book. He finds a book that he would like to read and goes to check it out.)

Leonid: Hi, I'd like to check out this book.
Librarian: OK. Do you have your student ID card?
Leonid: Yes. Here you go.
Librarian: All right. Let me just put this book under your name.

(A few moments of silence pass.)

Leonid: Have you ever read anything by the author of this book?
Librarian: Can't say that I have. What kind of author is he?
Leonid: I've heard that he writes about the lives of people who have made history. So many people have recommended his books to me because of the practical wisdom they contain.
Librarian: Oh, that does sound tempting. I'm more of a fiction reader. I think all great stories have some underlying wisdom in them. But what I like about fiction is that it's up to the reader to find and interpret that life lesson for themselves.
Leonid: For me, because of school, I've always associated reading novels with boredom.
Librarian: So, that's why you read non-fiction?
Leonid: I don't really read much at all. This is the first book I've picked up outside school.

ГЛАВА **13**: ВРЕМЯ С СЕМЬЁЙ

(Леонид лежит на диване в гостиной дома, наслаждаясь своей новой книгой, как вдруг его мама возвращается из продуктового магазина.)

Мама: Привет, Леонид.

Леонид: С возвращением.

Мама: Спасибо. В новом продуктовом магазине такие низкие цены. Мне это нравится!

Леонид: Да? Что ты купила?

Мама: Я купила все овощи за полцены. У них есть свежая редиска, тыква и капуста. Кроме того, я купила фрукты по очень низкой цене. Я купила яблоки, клубнику и чернику.

Леонид: Звучит здорово. Что у нас сегодня на ужин?

Мама: Честно говоря, я подумываю о том, чтобы пойти куда-нибудь сегодня вечером. Что ты скажешь, если я предложу суп и бутерброды?

Леонид: Мне нравится.

Мама: Тогда так и сделаем. Кстати, для какого предмета тебе нужна эта книга?

Леонид: Это не для занятий. Я взял её в библиотеке.

Мама: Ой. Ты уже закончили учёбу на сегодня?

Леонид: Мама, я даже не знаю, что хочу изучать.

Мама: Я думала, ты занимаешься химией.

Леонид: Нет. Я хочу перевестись, так что сейчас моя будущая специальность —это полная неопределённость.

Мама: Мне нравится, что ты не даёшь своему мозгу покоя. Ты не думал о том, чтобы заняться чем-то другим, связанным с наукой?

Леонид: Химия была наукой, которую я любил больше всего, но я больше не уверен, что хочу посвятить ей свою жизнь.

(Леонид утыкается лицом в книгу.)

Леонид: Мама, почему жизнь —такая тяжёлая штука?

Мама: Есть очень хорошая цитата Брюса Ли, которую я люблю: «Молитесь не о лёгкой жизни. Молитесь, чтобы у вас хватило сил вынести трудное испытание».

Вопросы для самопроверки

1. Что, по словам мамы Леонида, она купила в продуктовом магазине?

    A. Рамен, солёные огурцы, абрикосы, мороженое и бананы

    B. Рис, пиццу, морковь, жёлуди, салаты и рогалики

    C. Редис, ананасы, пирог, спаржу, бутерброды и бекон

    D. Редис, тыкву, капусту, яблоки, клубнику и чернику

2. Что Леонид и его мама будут есть на ужин?

    A. Они приготовят суп и бутерброды дома

    B. Они возьмут суп и бутерброды в ресторане на вынос

    C. Они будут есть суп и бутерброды в местном ресторане

    D. Они пойдут за супом и бутербродами к одному из своих друзей

3. Какая из предложенных областей не связана с естественной наукой?

    A. Химия

    B. Физика

    C. Биология

    D. Криптография

English Translation

(Leonid is lying on the couch in the living room of his apartment, enjoying his new book, when his mom comes back from grocery shopping.)

Mom: Hey, Leonid.

Leonid: Welcome back.

Mom: Thanks. The new grocery store here is so cheap. I love it!

Leonid: Oh yeah? What did you buy?

Mom: I got all our vegetables at half price. There's fresh radishes, pumpkins, and cabbage. I also got fruits for pretty cheap. We have apples, strawberries, and blueberries.

Leonid: That sounds great. What are we having for dinner tonight?

Mom: I was actually thinking about getting take-out tonight. How does soup and sandwiches sound?

Leonid: I'd love some.

Mom: Then it's settled. By the way, what class is that book for?

Leonid: It's not for class. I got it at the library.

Mom: Oh. Have you finished studying for the day?

Leonid: Mom, I don't even know what I want to study.

Mom: I thought you were doing chemistry.

Leonid: Nah. I want to transfer, but I have no idea what major I want to do.

Mom: Well, it's good that you're keeping your brain sharp. What do you think about doing something else science-related?

Leonid: Chemistry was the science I liked best, but I'm not sure if I want to devote my life to it.

(Leonid buries his face into his book.)

Leonid: Mom, why does life have to be so hard?

Mom: There's a really good quote by Bruce Lee that I love. "Pray not for an easy life. Pray for the strength to endure a difficult one."

ГЛАВА 14:
СУТЬ ГЕНИАЛЬНОСТИ

(Леонид и Максим выпивают в местном баре.)

Максим: Что значит, что нет такого понятия, как «гений»?

Леонид: Те, кого мы называем гениями —это просто люди, которые раскрыли свои природные таланты и потратили более 10 лет на их совершенствование. Люди видят только конечный результат и никакой тяжёлой работы, поэтому они так легко говорят, что кто-то гениален.

Максим: А как же Моцарт? Разве он не вундеркинд?

Леонид: Это отличный пример. Люди не думают о том, что он испытывал сильный интерес к музыке с самого раннего возраста. К тому же, его отец был профессиональным музыкантом, композитором, дирижёром и педагогом. К тому времени, как Моцарту исполнилось три года, он каждый день получал профессиональные уроки игры на фортепиано от своего отца. По ночам родителям приходилось отрывать его от рояля, чтобы он заснул.

Максим: Ну, не знаю. Как ты можешь уверенно говорить, что гениев не существует? Чем ты можешь обосновать свои слова?

Леонид: Я прочитал об этом в книге.

Максим: Ты бы поверил всему, что прочитал в книге?

Леонид: Я много раз слышал об этом из других источников. Будучи людьми, мы не хотим мириться со своими личными неудачами и ошибками. Именно поэтому нам проще смотреть на успешных людей и называть их счастливчиками, одарёнными или гениальными.

Максим: Ну ничего себе. Ты хочешь сказать, что людям просто не везёт? А как насчёт таких невероятно конкурентных областей, как актёрское мастерство или YouTube?

Леонид: Безусловно, удача — это лишь один из факторов. Я хочу сказать, что удача приходит только к тем, кто идёт на риск.

(Пока Леонид говорит, Максим заглядывает ему через плечо и замечает двух симпатичных девушек, сидящих за соседним столиком.)

Максим: Кстати, о тех, кто рискует, чтобы получить больше шансов: я вижу кое-кого в другом конце зала. Иди за мной.

Вопросы для самопроверки

1. Какое определение Леонид дал гениям?

   A. Кто-то невероятно умный и умелый

   B. Кто-то, кто изобретает что-то революционное

   C. Кто-то, кто раскрыл свои природные таланты и
   потратил более 10 лет, совершенствуя их

   D. Тот, кто потратил более 10 лет на поиск своих талантов,
   подаренных природой

2. Каким словом можно заменить слово «гений»?

   A. Интеллектуал

   B. Перфекционист

   C. Вундеркинд

   D. Профессионал

3. По словам Леонида, если вам нужна удача, то...

   A. Стоит бросить кости

   B. Вам должно повезти

   C. Вы должны больше рисковать

   D. Вы должны найти подкову или четырёхлистный клевер

English Translation

(Leonid and Maxim are having drinks in a local bar.)

Maxim: What do you mean there's no such thing as a genius?

Leonid: What we call genius is just someone who has figured out what their natural talents are and has spent over 10 years perfecting them. People see only the end result and none of the hard work, so it's just easy to call it genius.

Maxim: But what about Mozart? Wasn't he a child prodigy?

Leonid: That's a great example. What people don't consider is that he had shown a very high level of interest in music from a very early age. And his father was a professional musician, composer, conductor, and teacher. By the time Mozart turned three, he was receiving professional-level piano lessons every day from his dad. At night, his parents had to pry him away from the piano just to get him to sleep.

Maxim: Hmm, I don't know. How can you be sure that there are no geniuses? How can you prove it?

Leonid: I read about it in a book.

Maxim: You would believe everything you read in a book?

Leonid: Well, I've heard about this many times from other sources. As humans, we don't want to come to terms with our personal failures and mistakes. This is why it's easier to look at successful people and call them lucky, gifted, or genius.

Maxim: Whoa, now. Are you saying people don't get lucky? What about incredibly competitive fields like acting or YouTube?

Leonid: Luck is definitely a factor, no doubt. What I'm saying is that if you want more luck, you gotta take more chances.

(While Leonid is talking, Maxim looks over Leonid's shoulder and spots two attractive girls sitting at another table.)

Maxim: Speaking of taking more chances, I see some across the room right now. Follow me.

ГЛАВА **15**:
ПОКУПКА ЛЕКАРСТВ ПО РЕЦЕПТУ

(Леонид оказался в местной аптеке, чтобы забрать некоторые лекарства.)

Леонид: Здравствуйте, я пришёл получить рецептурные лекарства.

Фармацевт: Вас есть рецепт?

Леонид: Да, конечно. Вот.

Фармацевт: Хорошо. Отлично. Я сейчас вернусь.

(Аптекарь идёт за заказом Леонида.)

Фармацевт: Хорошо. У Вас есть вопросы о том, как принимать это лекарство?

Леонид: Да. Я должен принимать его утром и вечером, не так ли?

Фармацевт: Совершенно верно.

Леонид: Мне стоит принимать его натощак или после приёма пищи?

Фармацевт: Оба варианта подходят.

Леонид: Понятно. Могу ли я принимать данное лекарство в разное время в течение дня? Мой график постоянно меняется из-за работы и учёбы.

Фармацевт: Если Вы будете принимать одну таблетку утром, а одну вечером, то всё будет в порядке.

Леонид: Хорошо, спасибо. Подождите! Я забыл спросить ещё кое-что. Мне нужно глотать таблетку? Или её можно жевать?

Фармацевт: Вы должны проглотить её. Вы не можете жевать её. Могу я Вам ещё чем-нибудь помочь?

Леонид: Да. Где ближайший фонтанчик с водой? Я должен принять таблетку как можно скорее.

Вопросы для самопроверки

1. Куда нужно пойти, чтобы получить лекарства по рецепту?
   A. Аптека
   B. Кабинет врача
   C. Школа
   D. Место работы

2. Леониду стоит принимать лекарство во время еды или натощак?
   A. Во время еды
   B. Натощак
   C. Не имеет значения
   D. Зависит от ситуации

3. Что из ниже перечисленного не является пероральным вариантом приёма лекарства?
   A. Инъекция
   B. Глотание
   C. Жевание
   D. Употребление в жидком виде

English Translation

(Leonid is at his local pharmacy to pick up some new medicine.)

Leonid: Hi, I'm here to pick up my medication.
Pharmacist: Do you have a prescription?
Leonid: Yes, of course. Here it is.
Pharmacist: OK. Great. I'll be right back.

(The pharmacist goes to retrieve Leonid's prescription.)

Pharmacist: Alright. Do you have any questions about taking this medication?
Leonid: Yes. I take it in the morning and evening, right?
Pharmacist: That's right.
Leonid: Do I take it with food or can I take it on an empty stomach?
Pharmacist: Either is fine.
Leonid: I see. How about if I take the medication at different times during the day? My schedule changes all the time due to work and school.
Pharmacist: As long as each dose is taken sometime during the morning and sometime during the evening, you'll be fine.
Leonid: OK, thank you. Wait! I forgot to ask one last thing. Do I need to swallow the pill? Or is it chewable?
Pharmacist: You have to swallow it. You can't chew it. Is there anything else I can help you with?
Leonid: Yes. Where's the water fountain? I need to take it as soon as possible.

ГЛАВА 16:
ИНТЕРВЬЮ С ОЧЕВИДИЦЕЙ

(Леонид сидит дома и смотрит местные новости по телевизору.)

Диктор: Местные власти говорят, что местонахождение подозреваемого до сих пор неизвестно. Мы знаем, что подозреваемый —мужчина в возрасте от 18 до 35 лет ростом около 180 сантиметров. А теперь давайте перейдём к разговору с очевидицей, которая оказалась на месте происшествия.

(Камера показывает корреспондента и женщину средних лет.)

Репортёр: Можете ли Вы кратко рассказать нам о том, что видели?

Очевидица: Я шла домой после работы, когда заметила, что кто-то странно танцует на перекрёстке прямо передо мной. Подойдя ближе к перекрёстку, я увидела, что он был одет в большую маску лошади и нижнее бельё. Больше на нём ничего не было. Я подумала, что случайно приняла не те таблетки, и мне всё это кажется, но всё оказалось реальностью.

Репортёр: Как долго продолжалось это выступление?

Очевидица: Это длилось примерно минуту с того момента, как я заметила его.

Репортёр: Что произошло после этого?

Очевидица: Он быстро поклонился и побежал по улице. Не прошло и 30 секунд, как появились несколько полицейских машин с громко включёнными сиренами.

(Камера возвращается к ведущему новостей в студии.)

Диктор: Это уже третье появление танцовщика в маске за последние несколько месяцев. Как и ранее, в каждом случае было обнаружено несколько краж со взломом в том месте, где танцевал человек в маске. Власти подозревают наличие связи между этими событиями.

Вопросы для самопроверки

1. Что из нижеследующего НЕ является синонимом слова «репортёр»?

    A. Диктор

    B. Корреспондент

    C. Журналист

    D. Свидетель

2. Какой наряд был на танцовщике в маске?

    A. Только нижнее бельё

    B. Полный смокинг

    C. Одежда в деловом стиле

    D. Одежда в повседневном стиле

3. Что является синонимом фразы «кража со взломом»?

    A. Уголовное преступление

    B. Взлом и проникновение

    C. Поджог

    D. Подделка документов

English Translation

(Leonid is at home watching the local news on TV.)

Newscaster: Local authorities say that the suspect 's whereabouts are still unknown. What we do know is that the suspect is male, aged 18-35, and approximately 180 centimeters tall. We go now to an interview with a bystander who was a witness at the scene.

(The camera cuts to a news correspondent and a middle-aged woman.)

Reporter: Can you briefly tell us what you saw?

Witness: I was walking home from work when I noticed someone was dancing strangely at the intersection just up ahead. As I got closer to the intersection, I saw that they were wearing a large horse mask with just underwear on. They had nothing else on. I thought I had taken crazy pills or something, but it turned out to be real.

Reporter: How long did this performance continue?

Witness: From the time I noticed him, I would say about a full minute.

Reporter: What happened after that?

Witness: He took a quick bow and then ran down the street. No more than 30 seconds later, a few cop cars showed up with their sirens blazing loud.

(The camera cuts back to the news anchor in the studio.)

Newscaster: This marks the masked dancer's third appearance in the last few months. As with every appearance, several breaking-and-entering crimes have been reported near the masked man's show. Authorities suspect a connection between the events.

ГЛАВА **17**:
СОВМЕСТНЫЕ УСИЛИЯ

(Леонид посещает лекцию по всемирной истории в кампусе.)

Преподаватель: Не забывайте, что через две недели будет контрольная. Она серьёзно повлияет на итоговую оценку. Если вы ещё не начали готовиться к этой контрольной, сейчас самое время начать. На сегодня это всё. Наслаждайтесь оставшейся частью дня.

(Студенты начинают собирать свои вещи и направляются к выходу. К Леониду подходит другой студент.)

Студент №1: Привет. Может быть, тебе будет интересно принять участие в работе группы, чтобы подготовиться к контрольной?

Леонид: Конечно. Сколько человек уже согласны готовиться вместе?

Студент №1: Учитывая тебя, получается два человека.

Леонид: А, понятно. Ой...

Студент №1: Не волнуйся. Всё, что нам нужно сделать, это поймать ещё несколько человек, прежде чем они уйдут.

(Леонид кивает. Два студента разделились, чтобы найти других участников для своей группы.)

Леонид: Привет. Ты не хочешь вступить в группу для подготовки к контрольной?

Студент №2: Звучит очень заманчиво. Я с радостью присоединюсь.

Леонид: Хорошо, отлично. Теперь нам просто нужно определить время и место.

(Леонид и ещё четверо студентов встают в круг, чтобы договориться о времени и месте встречи.)

Студент №1: Я подумал, что мы могли бы встретиться в эту пятницу в 6 часов вечера в библиотеке. Всех устраивает такой формат?

(Студенты кивают, обмениваются контактной информацией и вскоре расходятся.)

Вопросы для самопроверки

1. Какое важное событие должно произойти через две недели?

    A. Студенты получат итоговую оценку.

    B. Преподаватель устроит контрольную.

    C. Случится нечто исторически важное.

    D. Студенты начнут готовиться к контрольной.

2. Как студенты сформировали учебную группу?

    A. Они опрашивали и приглашали одногруппников в конце урока

    B. Они вывесили объявление на доске объявлений

    C. Они организовали группу на интернет-форуме

    D. Они опрашивали и приглашали других студентов на вечеринку

3. Как студенты будут поддерживать связь?

    A. Они стояли в кругу и держались за руки

    B. Они обменялись контактной информацией

    C. Они живут в одном многоквартирном доме

    D. Они кивнули в знак согласия.

English Translation

(Leonid is attending a world history lecture on campus.)

Professor: Don't forget that in two weeks there will be a test. It will have a major impact on your final grade. If you haven't started preparing for the test, the best time would be now. That will be all for today. Enjoy the rest of your day.

(The students start packing up their belongings and heading for the exit. Another student approaches Leonid.)

Student #1: Hi there. Would you be interested in participating in a study group to help prepare for the exam?
Leonid: Sure. How many do you have so far?
Student #1: Now that you're in, that makes two people.
Leonid: Oh, I see. Uh...
Student #1: Don't worry. All we have to do is grab a few more people before they leave.

(Leonid nods. The two students split up to find more members for their group.)

Leonid: Hello. Do you want to join a study group to prepare for the test?
Student #2: That actually sounds like a good idea. I'd be happy to join you.
Leonid: OK, great. Now we just need a time and place.

(Leonid and four other students stand in a circle to arrange the meeting time and place.)

Student #1: I was thinking we could meet this Friday at 6 p.m. at the library. Does that sound good with everybody?

(The students nod in agreement, exchange contact information, and split up shortly after.)

ГЛАВА 18:
ЗАКАЗ ОБЕДА

(Леонид заказывает салат на обед в ресторанном дворике неподалёку от кампуса.)

Сотрудник: Здравствуйте. Добро пожаловать в «Салатный Экспресс». Что я могу Вам предложить?

Леонид: Здравствуйте. Я бы хотел заказать садовый салат с овощами.

Сотрудник: Хорошо. Вы хотите салат со шпинатом или с латуком?

Леонид: Я возьму с латуком.

Сотрудник: Какие овощи Вы бы хотели добавить в салат?

Леонид: Сельдерей, лук, перец и огурцы, пожалуйста.

Сотрудник: Хорошо. Не хотите добавить ещё какую-нибудь начинку?

Леонид: Да. Добавьте кешью, малину, гренки и лепёшки.

Сотрудник: Принято. Какую заправку Вы предпочитаете?

Леонид: Я хочу низкокалорийную итальянскую заправку.

Сотрудник: Хорошо. Вы бы хотели заказать закуски или напитки?

Леонид: Я возьму пакет чипсов и диетическую содовую. Больше ничего не нужно.

Сотрудник: Хорошо. Вы будете кушать здесь или заберёте заказ с собой?

Леонид: Здесь.

(Леонид замечает большое скопление из более чем 100 студентов, идущих неподалёку.)

Леонид: А Вы не знаете, по какому поводу собралась эта толпа?

Сотрудник: Ой, я не уверен. Я думаю, что это как-то связано с сегодняшним митингом в кампусе поблизости.

Вопросы для самопроверки

1. Какие из перечисленных ниже продуктов не считаются овощами?

    A. Сельдерей, лук, перец и огурцы

    B. Шпинат, латук, салат айсберг и капуста

    C. Картофель, сладкий картофель, кукуруза и тыква

    D. Оливки, помидоры, авокадо и тыква

2. Какие из следующих продуктов питания обычно считаются орехами?

    A. Кешью, кокосы и изюм

    B. Кешью, макадамия и сухарики

    C. Кешью, оливки и грецкие орехи

    D. Кешью, миндаль и арахис

3. Какое из предложенных определений подходит для диетической газировки?

    A. Газировка уменьшенного размера

    B. Напиток, который позволяет избавиться от лишнего веса

    C. Напиток, имеющий более приятный вкус, чем обычная газировка

    D. Газированный напиток с небольшим содержанием сахара или без него, а также с добавлением подсластителей

English Translation

(Leonid finds himself ordering a salad for lunch at a food court near his campus.)

Employee: Hi. Welcome to Salad Express. What can I get you?
Leonid: Hello. I'd like to order a garden salad with vegetables.
Employee: OK. Would you like spinach or romaine lettuce?
Leonid: I'll take romaine lettuce.
Employee: And which vegetables would you like on it?
Leonid: Celery, onion, peppers, and cucumbers, please.
Employee: OK. And would you like any other toppings?
Leonid: Yeah. Let's go with cashews, raspberries, croutons, and tortilla strips.
Employee: Done and done. And which dressing can I get you?
Leonid: I'll have the low-calorie Italian, please.
Employee: Alright. Would you like any snacks or drinks with your order?
Leonid: I'll take a bag of chips and a diet soda. That will be it for me.
Employee: OK. Will this be for here or to go?
Leonid: For here.

(Leonid notices a large gathering of more than 100 students walking nearby.)

Leonid: Hey, any idea what's going on with that crowd over there?
Employee: Oh, I'm not sure. My guess is that it has something to do with today's rally on the campus nearby.

ГЛАВА **19**:
ЧИТАЛЬНЫЙ ЗАЛ

(Леонид и ещё четверо студентов из его группы по истории собрались, чтобы поделиться своими конспектами и подготовиться к контрольной.)

Студент №1: Итак, мы знаем, что контрольная будет состоять из теста на 20 вопросов с несколькими вариантами ответов. После этого нам нужно будет написать эссе на заданную тему.

Студент №2: Правильно. Стоит отметить, что эссе даёт 50 процентов от оценки контрольной. Есть ли у кого-то из вас представление о том, какой будет тема эссе?

Студент №1: Нет, но мы могли бы догадаться. Есть идеи?

Леонид: Интересно, будет ли это тема о Римской Империи и Юлии Цезаре. Нашему преподавателю очень нравится эта тема.

Студент №2: Возможно. Я думал, что это будет вопрос об Александре Македонском. Преподаватель провёл много лекций, посвящённых его жизни.

Студент №3: А что будет, если мы будем активно изучать биографию Александра Македонского, а темой эссе станет жизнь Чингисхана?

Леонид: А если вопрос будет касаться каждого их этих троих?

(Пятеро студентов одновременно шепчутся в знак согласия.)

Студент №1: Скорее всего, так и будет. В лекциях большое внимание уделяется империям как отражению лидеров.

Студент №4: Прости, что прерываю тебя. Ты считаешь, что эссе будет касаться империй или лидеров?

Леонид: Это хороший вопрос. Трудно сказать.

Вопросы для самопроверки

1. Из чего состоит контрольная в середине семестра?
   A. Она будет содержать 20 вопросов, некоторые из которых имеют несколько ответов, а другие представляют собой эссе
   B. Она будет содержать 20 вопросов с несколькими ответами, а также один вопрос-эссе
   C. Она будет содержать 20 вопросов-эссе с несколькими вариантами ответа
   D. Она будет содержать 20 вопросов

2. Какие лидеры были упомянуты в разговоре в этой главе?
   A. Римская империя, Македонская империя и Монгольская империя
   B. Леонид, Максим и Анника
   C. Александр Македонский, Наполеон Бонапарт и преподаватель
   D. Юлий Цезарь, Александр Македонский и Чингисхан

3. Почему вопрос-эссе имеет такое значение на контрольной?
   A. Потому что потом не будет выпускного экзамена
   B. Потому что она даёт половину оценки за контрольную
   C. Потому что преподаватель не любит вопросы с несколькими вариантами ответа
   D. Потому что это единственный вопрос на контрольной

English Translation

(Leonid and four other students from his history class have gathered to share notes and prepare for the test.)

Student #1: So, we know that the test will be 20 multiple-choice questions. After that, there will be an essay on a given topic.

Student #2: Right. And the essay question is 50 percent of the exam's grade. Now, do we have any idea what the essay's question topic will be?

Student #1: No, but we might be able to guess. Any ideas?

Leonid: I wonder if it will be on the Roman Empire and Julius Caesar. The professor really likes that topic.

Student #2: Maybe. I was thinking it's going be on Alexander the Great. The professor spent a lot of lectures on his life.

Student #3: What if we all studied real hard on Alexander the Great's biography, and then the life of Genghis Khan turned out to be the essay topic?

Leonid: What if the question is on all three?

(The five students hum simultaneously in agreement.)

Student #1: That's gotta be it. The lectures focus a lot on empires as a reflection of leaders.

Student #4: I'm sorry to interrupt. Do you mean that the essay question will be on empires or the leaders?

Leonid: That's a good question. Hard to say.

ГЛАВА **20**:
ИЗ ДРУГОЙ СТРАНЫ

(Пятеро студентов решили сделать перерыв и отдохнуть от повторения материалов перед контрольной. Леонид пользуется этой возможностью, чтобы узнать больше об иностранном студенте из группы.)

Леонид: Так как тебя зовут?

Лин: Меня зовут Лин. Приятно познакомиться.

Леонид: Приятно познакомиться. В какой стране ты родился?

Лин: Я из Китая, но приехал в Россию изучать бизнес и экономику.

Леонид: Да? И как у тебя получается?

Лин: Пока что мне сложно. Мне нужно больше учиться.

Леонид: Мне тоже, но чем больше я учусь, тем больше теряюсь. Это тяжёлое испытание для каждого из нас.

Лин: Хм, может быть, тебе нужно немного попутешествовать. Ты когда-нибудь выезжал за пределы своей страны?

Леонид: Нет.

Лин: Очень рекомендую. Это позволит тебе узнать столько всего о себе и мире. А ещё это может помочь тебе понять, чего ты хочешь на самом деле.

Леонид: Мне нравится эта идея.

Лин: Ты всегда можешь приехать в Китай!

Леонид: Изучение китайского языка даже звучит слишком сложно. Вообще-то я думал о Европе.

Вопросы для самопроверки

1. Зачем Лин приехал в Россию?

    A. Для изучения бизнеса и экономики

    B. Чтобы начать бизнес в российской экономике

    C. Для изучения международного бизнеса и коммуникаций

    D. Чтобы основать консалтинговую фирму по вопросам бизнеса и экономики

2. Куда Леонид ездил раньше?

    A. Ближний Восток

    B. Австралия

    C. Антарктида

    D. Ничего из вышеперечисленного

3. Что нельзя сделать, отправившись в путешествие по всему миру?

    A. Познать себя

    B. Познать мир

    C. Понять, на какую тему будет эссе на контрольной

    D. Понять своё истинное призвание

English Translation

(The five students are currently on a break from reviewing. Leonid takes this opportunity to learn more about the foreign student in the group.)

Leonid: So, what's your name?

Lin: My name is Lin. Nice to meet you.

Leonid: Nice to meet you. Where are you from originally?

Lin: I'm from China, but I came to Russia to study business and economics.

Leonid: Oh yeah? How's that coming along?

Lin: Um, it's hard. I need to study more.

Leonid: Same here, but the more I study, the more lost I feel. It's hard for all of us.

Lin: Hmm, maybe some traveling could help. Have you ever traveled outside of your country?

Leonid: No.

Lin: I definitely recommend it. It allows you to learn so much about yourself and the world. It can also help you understand what you really want.

Leonid: I like the sound of that.

Lin: You could always come to China!

Leonid: Learning Chinese sounds a little too hard. I was thinking about Europe, actually.

ГЛАВА **21**:
ДОМ, МИЛЫЙ ДОМ

(Леонид только что закончил свою смену на работе и собирается идти домой, но решает задать Аннике вопрос.)

Леонид: Привет, Анника. Ты когда-нибудь ездила за границу?

Анника: Да, но это было очень давно.

Леонид: Да? А куда ты ездила?

Анника: В Испанию. Я навещала семью и была там в течение нескольких месяцев.

Леонид: Неужели? Как там было?

Анника: Очень жарко. О, боже! Там было очень жарко! Выйти на улицу летом было всё равно что войти в духовку. Это было безумие!

Леонид: Ты веселилась, несмотря на всю эту жару?

Анника: Мне там очень понравилось. Я много ездила на велосипеде по городам. К тому же, Храм Святого Семейства — это самое прекрасное, что я когда-либо видела.

Леонид: Ничего себе. Почему ты не осталась пожить там подольше?

Анника: Я выросла здесь, в России. Я поняла, что это мой дом. Здесь моё место.

Леонид: Я не уверен, что чувствую то же самое. Здесь скучно. Я и сам подумывал о том, чтобы немного попутешествовать.

Анника: Да? А куда ты хочешь отправиться?

Леонид: Понятия не имею. Может быть, в Европу.

Анника: Тебе определённо стоит сделать это. Такой подход даст тебе совершенно новый взгляд на мир.

Леонид: Да. Может быть, мне стоит найти учебную программу за рубежом?

Анника: Я бы так и сделала. Сделай это, пока не стало слишком поздно. Как только ты женишься и заведёшь детей, у тебя просто не будет времени! С этого момента твоя жизнь закончится.

Вопросы для самопроверки

1. Что думает Анника о своём пребывании в Испании?
    A. Несмотря на то, что там было очень жарко, она была довольна поездкой
    B. Ей совершенно не понравилось
    C. Она была безразлична ко всему происходящему
    D. Несмотря на то, что она иногда тосковала по дому, она провела время просто отлично

2. Почему Анника вернулась в Россию?
    A. В Испании было слишком жарко
    B. Это место, где она чувствует себя своей
    C. В Испании слишком высокие налоги
    D. Россия —лучшая страна для создания семьи

3. Жить в чужой стране и посещать иностранный университет в качестве студента —это...
    A. Новая жизнь
    B. Русский за границей
    C. Учёба за границей
    D. Новые перспективы

English Translation

(Leonid has just finished his shift at work and is getting ready to go home when he decides to ask Annika a question.)

Leonid: Hey, Annika. Have you ever traveled abroad?

Annika: Yeah, but it was a long time ago.

Leonid: Oh yeah? Where to?

Annika: Spain. I visited family there for a few months.

Leonid: Really? How was it?

Annika: Very hot. Good god, it was hot! Walking outside in the summer was like walking into an oven. It was crazy!

Leonid: Did you have fun in all the heat at least?

Annika: I loved it there. I went biking through the cities a lot. And La Sagrada Familia was the most beautiful thing I've ever seen.

Leonid: Wow. Why not live there longer, then?

Annika: I grew up here in Russia. I've learned that this is my home. It's where I belong.

Leonid: I'm not sure I feel the same. It's boring here. I've been thinking about doing some traveling myself.

Annika: Oh? Where to?

Leonid: No idea. Maybe Europe.

Annika: You definitely should. It will give a whole new perspective on the world.

Leonid: Yeah. I wonder if I should do a study abroad program?

Annika: I would. Do it before it's too late. Once you get married and have kids, you won't have any time! From that point, your life will be over.

ГЛАВА **22:**
ПЕРЕРЫВ И МОРОЖЕНОЕ

(Отдыхая от видеоигр, Леонид и Максим решают сходить за мороженым и прогуляться по парку.)

Леонид: Ничего себе, погода сегодня просто отличная.

Максим: Да, идеально подходит для того, чтобы оставаться дома и играть.

Леонид: У меня такое чувство, что ты сказал бы это в любых погодных условиях.

Максим: Ну конечно! Хочу отметить, что мороженое потрясающее. Какой приятный клубничный аромат и вкус!

Леонид: Клубника — это не так уж и плохо. Но я всегда выбираю ваниль или шоколад. Такой выбор никогда не станет ошибочным.

Максим: Какое ты выбрал в этот раз?

Леонид: На этот раз я выбрал ваниль.

Максим: А, понятно. Интересно, продают ли они это мороженое во всех трёх вкусах?

Леонид: Ты имеешь в виду шоколад, клубнику и ваниль?

Максим: Да! Я забыл его название. Оно называется «Наполеон»?

Леонид: «Неаполитанское».

Максим: О, да. На секунду мне показалось, что оно называется «Наполеон».

Леонид: Нет, это же торт, а не мороженое.

Максим: Если завоевать полмира, вероятно, в твою честь много всего назовут - например, «комплекс Наполеона».
Леонид: Это правда. Погоди-ка. Я задумался кое о чём. Почему я не могу вспомнить ничего, названного в честь Чингисхана?

Вопросы для самопроверки

1. Что делали Леонид и Максим во время перерыва от видеоигр?
   A. Они купили взбитые сливки и отправились на пробежку через парк
   B. Они купили крем для бритья и прогулялись по парку
   C. Они купили мороженое и пошли прогуляться по парку
   D. Они решили повторить материалы по истории

2. Каких трёх вкусов бывает мороженое «Неаполитанское»?
   A. Какао, черника и ваниль
   B. Шоколад, клубника и ваниль
   C. Шоколад, клубника и валидол
   D. Какао, клубника и валидол

3. Максим считает, что, когда вы покоряете половину мира, то...
   A. В мире есть много вещей, названных в вашу честь
   B. У вас, как правило, есть много вещей, которые вы называете своим именем
   C. Вы собираете вещи, которые называются вашим именем
   D. Вы стремитесь собрать много вещей, названных в вашу честь

English Translation

(While taking a break from video games, Leonid and Maxim decide to go out for ice cream and take a walk through the park.)

Leonid: Wow, the weather is perfect today.

Maxim: Yup, perfect for staying inside and gaming.

Leonid: I have a feeling you would say that no matter what the weather is.

Maxim: But of course! Also, this ice cream is amazing. This strawberry flavor is so good!

Leonid: Strawberry's not bad. But I always end up choosing vanilla or chocolate. You can't go wrong with either.

Maxim: Which did you get just now?

Leonid: I went with vanilla this time.

Maxim: Ah, I see. I wonder if they sell that ice cream in all three flavors.

Leonid: You mean chocolate, strawberry, and vanilla?

Maxim: Yeah! I forgot the name of it. Was it called Napoleon?

Leonid: Neapolitan.

Maxim: Oh yeah. I thought it was Napoleon for a second.

Leonid: No, that's a cake, not an ice cream.

Maxim: When you conquer half of the world, you tend to have a lot of things named after you, like the Napoleon complex.

Leonid: That is true. But wait. That makes me wonder. Why can't I think of anything named after Genghis Khan?

ГЛАВА **23**:
ПОБЕГ ОТ РЕАЛЬНОСТИ

(Леонид и Максим болтают на диване после очередной игры.)

Максим: Если ты планируешь поехать за границу, то тебе нужно в Японию. Это просто необходимо.

Леонид: Я даже не знаю. Японский звучит очень сложно.

Максим: Братан, просто заведи себе японскую подружку, и ты очень быстро научишься говорить на этом языке. Ты получишь полное погружение.

Леонид: Если бы это было правдой, разве все туристы не возвращались бы со свободным владением японским языком?

Максим: Неделя или две —это слишком мало. Ты пробудешь там по меньшей мере полгода. Подумай об этом. Ты сможешь получать удовольствие от самых последних игр и аниме в тот день, когда они выйдут в Японии.

Леонид: Может быть. Вполне возможно. Раз там так хорошо, почему бы тебе не начать обучение в этой стране?

Максим: Единственное, что я хочу изучить, это как победить этого босса, который постоянно нас убивает.

Леонид: Ты совсем не переживаешь о своём будущем?

Максим: Эта проблема должна волновать будущего меня.

Леонид: Я уверен, что ты каждый день придумываешь новые способы прокрастинации. Вообще-то, это впечатляет.

Максим: Я просто настолько хорош.

Леонид: Что мне с тобой делать?

Максим: Помоги мне победить этого босса!

(Леонид тяжело вздыхает и медленно качает головой. После нескольких секунд молчания он берёт свой джойстик, чтобы продолжить игру.)

Вопросы для самопроверки

1. Погружение в языковую атмосферу всегда подразумевает:
    A. Изучение языка во время погружения под воду
    B. Изучение языка в рамках языковой среды
    C. Изучение языка с помощью виртуальной реальности с погружением
    D. Изучение языка с помощью туризма

2. Почему Максим считает, что Леонид должен поехать в Японию?
    A. Там гораздо лучше, чем в Китае
    B. Он сможет наслаждаться всеми последними аниме и видеоиграми в тот день, когда они будут выпущены в Японии
    C. Японский —самый простой язык для изучения
    D. Японские подруги —это лучшие девушки в мире

3. Чем Максим впечатлил Леонида в этой главе?
    A. Он очень настойчиво уговаривает Леонида поехать в Японию
    B. Он придумывает новые способы прокрастинации
    C. Он думает о том, как победить босса в игре
    D. Он самый странный человек, которого Леонид когда-либо встречал

English Translation

(Leonid and Maxim are chatting on the couch after finishing a gaming session.)

Maxim: If you're going to go abroad, you have to go to Japan. It's a must.

Leonid: I don't know. Japanese sounds pretty hard.

Maxim: Bro, just get a Japanese girlfriend and you'll learn super-fast. You'll be completely immersed.

Leonid: If that were true, wouldn't all tourists come back fluent in Japanese?

Maxim: A week or two isn't long enough. You'll be there for at least six months. Think about it. You get to enjoy all the latest games and anime the day they come out in Japan.

Leonid: Maybe. It's a possibility. But if all this sounds so good, why don't you go and study there?

Maxim: The only thing I want to study is how to beat this boss we keep dying to.

Leonid: Don't you worry about your future?

Maxim: That's future me's problem.

Leonid: You think of new ways to procrastinate every day, I swear. It's impressive, actually.

Maxim: I'm just that good.

Leonid: What am I going to do with you?

Maxim: Help me beat this boss!

(Leonid lets out a long sigh and shakes his head slowly. After a few seconds of silence, he picks up his controller, ready to play again.)

ГЛАВА **24**:
АВТОМАСТЕРСКАЯ

(В последнее время машина Леонида капризничает. Он приехал к местному механику, чтобы провести диагностику и починить машину.)

Механик: Привет. Чем я могу Вам помочь?

Леонид: Привет. Моя машина в последнее время капризничает. Когда я останавливаюсь на светофоре, вся машина начинает вибрировать. Но как только я начинаю двигаться, вибрация прекращается. В остальном машина работает нормально.

Механик: Хорошо, я понял. Позвольте мне быстро взглянуть на машину, а также провести тест-драйв. А пока присаживайтесь в нашей зоне ожидания. Я вернусь за Вами, когда всё будет готово.

Леонид: Хорошо. Спасибо.

(Пока Леонид смотрит телевизор и делает себе чашку кофе в зоне ожидания, механик открывает капот машины и внимательно ищет проблему. Примерно через 30 минут механик зовёт Леонида на стойку администратора.)

Механик: Итак, я проверил основные системы. Я обнаружил, что с маслом нет никаких проблем. Коробка передач в порядке. Шины в порядке. Аккумулятор не вызывает вопросов. Утечек нет. Так что, скорее всего, проблема возникла со свечами зажигания.

Леонид: Это хорошая новость! Я думал, что проблема в коробке передач.

Механик: Нет. Точно нет. Теперь мы можем заменить все свечи зажигания и цилиндры, используя специальный стенд для ремонта двигателя. Вы не возражаете?

Леонид: Вы хотите заменить и цилиндры тоже? Сколько это будет стоить?

Механик: Ремонт двигателя для этой старой модели поможет сохранить Ваш автомобиль в рабочем состоянии гораздо дольше. Если мы сделаем полный ремонт, то стоимость составит в общей сложности 30 000 рублей.

Леонид: О, боже! Я не уверен, что могу себе это позволить. Могу я сделать телефонный звонок?

Вопросы для самопроверки

1. Назовите синоним слова «капризничать».
    A. Вести себя странно
    B. Смотреть свысока
    C. Вести себя подобающе
    D. Действовать быстро

2. В чём, по-видимому, заключается главная проблема с машиной Леонида?
    A. Свечи зажигания
    B. Коробка передач
    C. Спущенные шины
    D. Цилиндры потеряли цилиндрическую форму

3. Почему механик рекомендует специальную услугу по настройке двигателя?
    A. Потому что он хочет быть новым другом Леонида
    B. Потому что это может продлить срок службы старого автомобиля
    C. Потому что это придаст автомобилю запах новой машины
    D. Это позволит подготовить автомобиль к участию в гонке

English Translation

(Leonid's car has been acting strange lately. He has brought it to a local mechanic to help diagnose and solve the problem.)

Mechanic: Hi there. What can I do for you today?
Leonid: Hello. My car has been acting up lately. When I stop at a traffic light, the whole car starts vibrating. As soon as I start moving, however, the vibrating stops. Other than that, the car has been running fine.
Mechanic: OK, I see. Let me take a quick look at it and give it a brief test run. In the meantime, have a seat over there in the lounge area. I'll come and get you when I'm ready.
Leonid: Alright. Thanks.

(While Leonid watches TV and makes himself a cup of coffee in the lounge area, the mechanic opens the hood of the car and takes a closer look at the problem. After around 30 minutes, the mechanic calls Leonid to the front desk.)

Mechanic: So, I checked the main systems. I found that your oil is good. Your transmission is good. The tires are fine. The battery has no issues. There's no leakage anywhere. So, it's most likely a spark plug issue.
Leonid: Oh, that's good news! I thought it was the transmission.
Mechanic: Nope. Not at all. Now, we can replace all the spark plugs and cylinders for you today using a special stand for engine repairs. Would you be OK with that?
Leonid: You need to replace the cylinders too? How much will that cost?

Mechanic: Repairing the engine for this older model would keep your car running much longer. If we do the complete repair, it will come to a total of 30,000 rubles.

Leonid: Oh my god! I'm not sure I can afford that. Can I make a phone call?

ГЛАВА **25**:
ВТОРОЕ МНЕНИЕ

(Леонид разговаривает по телефону с мамой.)

Мама: Алло?

Леонид: Привет, мама Я сейчас в автомастерской. Я хотел спросить, хватит ли у нас денег, чтобы оплатить ремонт.

Мама: Сколько он стоит?

Леонид: Эм, 30 000 рублей.

Мама: О, господи. Что за проблема? Что они хотят заменить?

Леонид: Они сказали, что нужно заменить свечи зажигания и, возможно, цилиндры.

Мама: Дорогой, это не стоит 30 000 рублей... Мы можем поменять всё это менее чем за 7000 рублей.

Леонид: Но они предложили свои услуги по ремонту двигателя, который позволит продлить срок службы машины.

Мама: Это называется использовать людей в своих интересах. Механики знают, что большинство людей не разбираются в автомобилях, поэтому они предлагают все виды ненужных услуг, чтобы поднять цену. Это всё ненужный хлам.

Леонид: Ну, хорошо. Итак, где нам взять запчасти для машины?

Мама: Дешевле всего заказать их через интернет. Давай сделаем это сегодня вечером.

Леонид: Но как же я завтра доберусь до университета?

Мама: Мне просто придётся возить тебя, пока не привезут запчасти.

Леонид: Отлично. И я не знаю, что сказать Максиму. Мне нужно отвезти его на работу завтра.

Мама: Максим устроился на работу?

Вопросы для самопроверки

1. Что думает мама Леонида о предложении механика?
   A. Она считает, что Леонид должен воспользоваться предложением
   B. Она думает, что другой механик мог бы предложить более выгодную цену
   C. Она думает, что Леонид использует механика в своих интересах
   D. Она считает, что Леонида используют в своих интересах

2. Если вы разбираетесь в автомобилях, то...
   A. У вас практически нет знаний и опыта работы с автомобилями
   B. Вы хорошо осведомлены, но можете быть доверчивы
   C. Вы имеете отличные знания и опыт работы с машинами
   D. Вы доверчивы, когда речь заходит о машинах

3. Как Леонид завтра доберётся до университета?
   A. Максим собирается подвезти его
   B. Максим собирается начать работать на новой работе
   C. Леонид поедет на автобусе
   D. Мама отвезёт его на учёбу

English Translation

(Leonid is on the phone with his mom.)

Mom: Hello?

Leonid: Hi, Mom. I'm here at the car shop. And I was wondering if we have enough money to cover the repairs.

Mom: How much is it?

Leonid: Uh, 30,000 rubles.

Mom: Oh lord. What's the issue? What do they want to replace?

Leonid: They said it's the spark plugs and possibly the cylinders.

Mom: Honey, that does not cost 30,000 rubles to fix. We could change all of that for less than 7,000 rubles.

Leonid: But they offered their service to repair the engine, which will extend the life of the car.

Mom: That's called taking advantage of people. Mechanics know most people are not car-savvy, so they offer all kinds of expensive services to drive up the price. It's all unnecessary crap.

Leonid: Oh, OK. So, where should we get the car parts?

Mom: It's cheaper to order them online. Let's do that tonight.

Leonid: But how will I get to school tomorrow?

Mom: Well, I'll just have to drive you until the parts come in.

Leonid: That works. And, uh, I'm not sure what to tell Maxim. I have to take him to work tomorrow.

Mom: Maxim got a job?

ГЛАВА **26**:
ПОКИДАЯ РОДНОЕ ГНЕЗДО

(После ремонта машины Леонид и его мама решили отдохнуть, выпив чай со сладостями.)

Леонид: На самом деле, всё было не так уж и плохо. Мне казалось, что всё будет гораздо сложнее.

Мама: Я же тебе говорила!

Леонид: Где ты столько узнала про автомобили? От папы?

Мама: Точно нет. Мне пришлось многому научиться, чтобы выжить как матери-одиночке. Я должна была сокращать все возможные расходы.

Леонид: Я подумал, что, раз уж он занимался ремонтом электроники, он мог разбираться в машинах.

Мама: Он мог бы, по крайней мере, научить тебя этому, прежде чем уйти.

Леонид: Да, но он этого не сделал. Это было очень давно, правда?

Мама: Прошло уже около 10 лет.

Леонид: Так или иначе, я думаю, что решил, что хочу сделать со своей профессией.

Мама: Ой, расскажи мне!

Леонид: Я думаю, что хочу попробовать обучение за границей.

Мама: Ой. Где именно?

Леонид: Я ещё не решил, но думаю, что где-нибудь в Европе.

Мама: Почему ты решил путешествовать?

Леонид: Я чувствую, что должен совершить поездку, чтобы найти себя.

Мама: Ты можешь найти себя и здесь. Просто найди себе работу и собственное жильё.

(Леонид плотно сжимает губы и смотрит в окно, а длительная тишина заполняет комнату.)

Мама: Если ты хочешь поехать, то тебе нужно найти способ оплатить обучение. С учётом стоимости твоего обучения, у нас и так нет денег.

Леонид: Тогда я должен найти способ заработать.

Вопросы для самопроверки

1. Откуда мама Леонида узнала о ремонте автомобилей?
   A. Она училась у отца Леонида
   B. Она училась сама, чтобы сэкономить деньги
   C. Она механик по профессии
   D. Все матери-одиночки знают, как починить машину

2. Отец Леонида был мастером в сфере...
   A. Электрического
   B. Электрики
   C. Электроники
   D. Электричества

3. Что заставило Леонида решиться на путешествие?
   A. Он хочет найти своего отца
   B. Он хочет начать поиски себя
   C. Он хочет найти любовь всей своей жизни
   D. Он хочет произвести впечатление на свою маму

English Translation

(After fixing the car, Leonid and his mom relax by having some tea and eating some snacks.)

Leonid: That actually wasn't too bad. I thought it would be much harder than it was.

Mom: I told you so!

Leonid: Where did you learn all that stuff about cars? From Dad?

Mom: Absolutely not. I had to learn a lot on my own to survive as a single mom. You have to cut costs whenever you can.

Leonid: I figured that since he was an electronics repairman he might know about cars.

Mom: He could have at least taught you some of that before he left.

Leonid: Yeah, but he didn't. That was a long time ago, right?

Mom: It's been about 10 years now.

Leonid: So, anywho, I think I've decided what I want to do with my career.

Mom: Oh, what's that?

Leonid: I think I want to try studying abroad.

Mom: Oh. Where exactly?

Leonid: I haven't decided yet, but I'm thinking somewhere in Europe.

Mom: What made you decide to travel?

Leonid: I feel like I have to make a trip to find myself.

Mom: You can find yourself here. Just get a job and your own place.

(Leonid shuts his lips tightly and stares out the window as a long pause of silence fills the room.)

Mom: If you want to go, you'll have to find a way to pay for it. With your tuition fees, we're already strapped for cash as-is.

Leonid: Then I'll have to find a way to come up with the money.

ГЛАВА **27**:
БОЛЬШОЕ ПОВЫШЕНИЕ

(Леонид работает в пиццерии и пытается договориться с Анникой о повышении на руководящую должность.)

Анника: Ты уверен в этом? Не делай этого, если не уверен на 100 процентов.

Леонид: Я уверен на 100 процентов. Я должен найти деньги, а ты сможешь взять выходной или отпуск.

Анника: Я переживаю, что ты не справишься со стрессом и нагрузкой, которые подразумевает должность менеджера. Ответственность за работу и учёбу скажется на твоей работоспособности со временем.

Леонид: Ты же сказала, что сразу же повысишь меня в должности, не так ли?

Анника: Я не думала, что ты действительно захочешь эту работу.

Леонид: Я тоже, до недавнего времени. Я чувствую, что моя жизнь просто замерла, поэтому я хочу всё изменить, сэкономив деньги на поездку за границу.

Анника: Ты сказал, что собираешься сделать это через год?

Леонид: Совершенно верно.

Анника: Даже если это всего лишь год, я бы предпочла иметь временного менеджера, чем вообще никакого. Итак, учитывая вышеизложенное, добро пожаловать на должность менеджера, Леонид.

(Анника радостно протягивает руку, а Леонид уверенно протягивает ей свою. Они пожимают друг другу руки.)

Анника: Давай я покажу тебе офис.
Леонид: Конечно.

(Леонид замечает фотографию подростка в рамке, которая стоит на письменном столе за массивными стопками бумаг.)

Анника: Я думаю, что, как менеджеру, тебе лучшего всего сначала понять, как нужно руководить персоналом. Ты прекрасно ладишь с людьми, но я хочу заверить тебя, что это совершенно другой уровень!

Вопросы для самопроверки

1. В чём Леонид уверен на 100 процентов?
    A. В том, что он возьмёт отпуск, чтобы отдохнуть от работы
    B. В том, что он хочет стать менеджером
    C. В том, что Анника получит повышение
    D. В том, что пицца пахнет просто великолепно

2. Когда что-то сказывается на вашей работоспособности, это значит...
    A. Оно взимает с вас плату
    B. Оно даёт вам деньги
    C. Оно оказывает на вас влияние
    D. Оно обеспечивает вас энергией

3. Что у Анники стоит на столе в кабинете?
    A. Стопки бумаг и фото в рамке
    B. Стопки бумаг и мальчик-подросток
    C. Стопки наличных и автопортрет Анники
    D. Стопки коробок из-под пиццы и подгоревший сыр

English Translation

(Leonid is at the pizza shop, negotiating a promotion to a management position with Annika.)

Annika: Are you sure about this? Don't do it unless you're 100 percent sure.

Leonid: I'm 100 percent sure. I have to come up with money somehow, and you can take time off or go on a vacation.

Annika: I'm worried about whether or not you can handle the stress and strain that comes with being a manager. The responsibility of the job plus your schoolwork will take a toll on you over time.

Leonid: You said you'd promote me in a heartbeat, didn't you?

Annika: I didn't think you'd actually want the job.

Leonid: Neither did I until recently. I feel like my life just froze, so I want to change everything by saving money to travel abroad.

Annika: You said you were going to do it in a year?

Leonid: That's right.

Annika: Even if it's just a year, I'd rather have a temporary manager than none at all. So, with that said, welcome aboard Manager Leonid.

(Annika gladly extends her hand and Leonid confidently puts out his to meet hers. They shake hands.)

Annika: Let me show you around the office.

Leonid: Sure thing.

(Hidden behind the massive stacks of paperwork, Leonid notices a framed picture of a teenage boy, which is sitting on the desk.)

Annika: I think that, as a manager, the best thing for you to do is to first understand how to supervise your staff. You get along well with people, but let me tell you, this is a whole other level!

ГЛАВА **28**:
БЕСПЛАТНАЯ КОНСУЛЬТАЦИЯ

(Леонид находится в офисе консультантки по планированию карьеры, чтобы узнать больше о программе обучения за рубежом.)

Консультантка: Вы когда-нибудь выезжали за пределы страны?

Леонид: Нет.

Консультантка: Хорошо. Что именно Вы рассчитываете получить, участвуя в нашей программе?

Леонид: Я думаю, что учёба за границей поможет мне найти своё место в мире.

Консультантка: Я думаю, что это точно возможно. Итак, готовы ли Вы изучать иностранный язык?

Леонид: Конечно.

Консультантка: Есть ли у Вас опыт изучения нового языка?

Леонид: У меня были уроки иностранного языка в старших классах.

Консультантка: Очень хорошо. У Вас есть какие-нибудь вопросы ко мне по поводу нашей программы?

Леонид: Мне любопытно. Как Вы оказались здесь в качестве консультантки?

Консультантка: О! Я отправилась за границу в Ирландию во время учёбы в университете и наслаждалась каждым мгновением моего обучения за рубежом. Потом я решила помочь другим хотя бы раз в жизни испытать то же самое.

Леонид: Ого, это круто. Могу я задать ещё один вопрос?

Консультантка: Конечно. О чём речь?

Леонид: Вы когда-нибудь тосковали по дому, находясь за границей?

Консультантка: Конечно! Но это не идёт ни в какое сравнение с опытом, который может изменить Вашу жизнь. Есть поговорка, которая отлично объясняет эту ситуацию: «Чтобы действительно обрести что-то значимое, нужно чем-то пожертвовать».

Вопросы для самопроверки

1. Что Леонид рассчитывает получить, участвуя в программе обучения за рубежом?

    A. Помощь в поиске своего места в мире

    B. Помощь в поиске мира

    C. Помощь в поиске места мира внутри самого себя

    D. Помощь в поиске своего мира

2. Есть ли у Леонида опыт изучения иностранного языка?

    A. У него нет опыта изучения иностранного языка

    B. У него чёрный пояс по изучению иностранных языков

    C. Он посещал уроки иностранного языка в школе

    D. В детстве он занимался карате

3. Что значит «тосковать по дому»?

    A. Скучать по дому, живя за границей

    B. Страдать от дома за границей

    C. Болеть, живя дома

    D. Пропустить рабочий день из-за болезни

English Translation

(Leonid is in the office of a career planning consultant to find out more about the study-abroad program.)

Consultant: Have you ever traveled outside the country?

Leonid: No.

Consultant: OK. And what do you expect to gain by participating in our program?

Leonid: I think studying abroad will help me find my place in the world.

Consultant: I think it's definitely possible. Now, are you ready to learn a foreign language?

Leonid: Of course.

Consultant: Do you have any experience learning a new language?

Leonid: I took a few foreign language classes in high school.

Consultant: Very well. Do you have any questions for me about our program?

Leonid: I'm curious. How did you end up as a consultant here?

Consultant: Oh! I went on my own study abroad trip to Ireland during college and loved every second of it. As a result, I decided to help others have that same experience at least once in their lives.

Leonid: Ah, that's cool. Can I ask another question?

Consultant: Sure. What is it?

Leonid: Did you ever get homesick while abroad?

Consultant: Of course! But it's nothing compared to an experience that can change your life. There's a saying that perfectly explains this situation. In order to truly gain anything meaningful, something must be sacrificed.

ГЛАВА **29**:
ИНТЕРВЬЮ С ПОЛИГЛОТОМ

(Желая узнать больше об изучении языка, Леонид смотрит видео на YouTube. Один ролик особенно привлекает его внимание. Это интервью с полиглотом, который рассказывает о том, как он выучил восемь разных языков.)

Ведущий: Вы хотите сказать, что не изучали ни один из этих языков в школе?

Полиглот: Совершенно верно. Первым я выучил английский. Я ходил на уроки английского в начальной школе, но мне казалось, что мы просто заучиваем списки слов и грамматических правил. Эти занятия не помогли мне освоить разговорный английский язык или начать понимать его на слух.

Ведущий: Итак, как Вы смогли научиться всему этому?

Полиглот: В университете у меня было много свободного времени. Мне надоело смотреть телевизор, фильмы и играть в видеоигры после учёбы, поэтому я решил заняться чем-то более сложным. Я решил, что самое лучшее, что я могу сделать —это выучить английский, используя все свои ресурсы. Всё свободное время я проводил за просмотром телепередач и фильмов только на английском языке без русских субтитров.

Ведущий: Ничего себе. Что Вы понимали в самом начале?

Полиглот: Практически ничего. Поначалу мне было очень трудно, но в то же время очень волнительно. После нескольких дней просмотра я начал замечать, что некоторые слова и фразы повторяются снова и снова. Я записывал их в свой блокнот и просматривал в интернете после окончания каждого эпизода. Я повторял этот процесс снова и снова. Через несколько месяцев я заметил, что понимаю 90 процентов материалов на английском языке на телевидении и в кино. Очень быстро моя разговорная речь стала простой и приятной. Я был так поражён процессом обучения, что применил ту же технику к другим иностранным языкам.

Вопросы для самопроверки

1. Какие проблемы были у полиглота с занятиями по английскому языку?

    A. Занятия были слишком дорогими

    B. Они были слишком скучными

    C. Он чувствовал, что учителям было всё равно на то, что они преподают

    D. Ему казалось, что студенты просто заучивают списки слов и грамматические правила

2. Как полиглот выучил английский язык во время учёбы в университете?

    A. Он проводил всё своё свободное время за учёбой и получал самые лучшие оценки в группе

    B. Он проводил всё своё свободное время за просмотром шоу и фильмов на английском языке без русских субтитров

    C. Всё свободное время он проводил за просмотром английского телевидения и фильмов с русскими субтитрами

    D. Он проводил всё своё свободное время, запоминая списки слов и грамматические правила

3. Как полиглот выучил другие иностранные языки?

    A. Он снова и снова записывал определённые слова и фразы

    B. Он заметил, что может понять 90 процентов материалов на другом языке после изучения английского языка

    C. Он повторял лексику и грамматику снова и снова, пока не выучил их наизусть

    D. Он решил использовать такую же методику для изучения максимального количества языков

English Translation

(To learn more about language learning, Leonid is watching a YouTube video. One video in particular catches his attention. It's an interview with a polyglot who is discussing how he came to learn eight different languages.)

Interviewer: You're saying you didn't learn any of these languages through school?

Polyglot: That's correct. English was the first one I learned. I took English classes during elementary school, but it felt like we were just memorizing lists of vocabulary words and grammar rules. Those classes did nothing to help me learn spoken English or to begin to understand it by ear.

Interviewer: So, how did you go about learning those things?

Polyglot: In college, I had a lot of free time on my hands. I got bored with watching TV and movies and playing video games after school, so I decided to do something more challenging with my time. I figured that going all out to learn English would be the best thing I could do. I spent all my free time watching TV shows and movies in only English, with no Russian subtitles.

Interviewer: Wow. How much of it could you understand at first?

Polyglot: Practically zero. It was very hard at first but also very exciting. After a few days of watching, I started noticing certain words and phrases were being repeated over and over. I wrote those down in my notebook and I looked them up online after each show ended. I kept repeating this process over and over. After a few months, I realized I could understand 90 percent of the English in TV and movies. Shortly after, speaking came very naturally. I was so amazed by the learning process that I went out and applied the same technique to as many foreign languages as I could.

DID YOU ENJOY THE READ?

Thank you so much for taking the time to read our book! We hope that you have enjoyed it and learned more about real Russian conversation in the process!

If you would like to support our work, please consider writing a customer review on Amazon. It would mean the world to us!

We read each and every single review posted, and we use all the feedback we receive to write even better books.

ANSWER KEY

Chapter 1:
1) B
2) D
3) C

Chapter 2:
1) A
2) B
3) C

Chapter 3:
1) D
2) D
3) C

Chapter 4:
1) B
2) A
3) D

Chapter 5:
1) C
2) D
3) C

Chapter 6:
1) A
2) D
3) D

Chapter 7:
1) D
2) A
3) D

Chapter 8:
1) B
2) A
3) B

Chapter 9:
1) C
2) A
3) D

Chapter 10:
1) B
2) B
3) C

Chapter 11:
1) C
2) A
3) C

Chapter 12:
1) A
2) B
3) B

Chapter 13:
1) D
2) B
3) D

Chapter 14:
1) C
2) C
3) C

Chapter 15:
1) A
2) C
3) A

Chapter 16:
1) D
2) A
3) B

Chapter 17:
1) B
2) A
3) B

Chapter 18:
1) D
2) D
3) D

Chapter 19:	Chapter 20:	Chapter 21:
1) B	1) A	1) A
2) D	2) D	2) B
3) B	3) C	3) C

Chapter 22:	Chapter 23:	Chapter 24:
1) C	1) B	1) A
2) B	2) B	2) A
3) A	3) B	3) B

Chapter 25:	Chapter 26:	Chapter 27:
1) D	1) B	1) C
2) C	2) C	2) B
3) D	3) B	3) A

Chapter 28:	Chapter 29:
1) A	1) D
2) C	2) B
3) A	3) D

Printed in Great Britain
by Amazon